POÈMES

ANDRÉ BRETON

POÈMES

GALLIMARD

Mont de Piété

(1919)

FAÇON

L'attachement vous sème en taffetas
broché projets,
sauf où le chatoiement d'ors se complut.
Que juillet, témoin
fou, ne compte le péché
d'au moins ce vieux roman de fillettes qu'on lut!

De fillettes qu'on
brigua
se mouille (Ans, store au point d'oubli), faillant
téter le doux gave,
— Autre volupté quel acte élu t'instaure? —
un avenir, éclatante Cour Batave.

Étiquetant
baume vain l'amour, est-on nanti
dc froidcur
un fond, plus que d'heures mais, de mois? Elles
font de batiste : A jamais! — L'odeur anéantit
tout de même jaloux ce printemps,

Mesdemoiselles.

AGE

Aube, adieu! Je sors du bois hanté; j'affronte les routes, croix torrides. Un feuillage bénissant me perd. L'août est sans brèches comme une meule.

Retiens la vue panoramique, hume l'espace et dévide machinalement les fumées.

Je vais m'élire une enceinte précaire : on enjambera s'il faut le buis. La province aux bégonias chauffés caquète, range. Que gentiment s'ameutent les griffons au volant frisé des jupes!

Où la chercher, depuis les fontaines? A tort je me fie à son collier de bulles...

Yeux devant les pois de senteur.

Chemises caillées sur la chaise. Un chapeau de soie inaugure de reflets ma poursuite. Homme... Une glace te venge et vaincu me traite en habit ôté. L'instant revient patiner la chair.

Maisons, je m'affranchis de parois sèches. On secoue! Un lit tendre est plaisanté de couronnes.

Atteins la poésie accablante des paliers.

19 février 1916.

COQS DE BRUYÈRE

Coqs de bruyère... et seront-ce coquetteries
de péril
ou de casques couleur de quetsche?
Oh! surtout
qu'elle fripe un gant de suède chaud
soutenant quels
feux de Bengale gâteries!

Au Tyrol, quand les bois se foncent, dc tout
l'être abdiquant un
destin
digne, au plus, de chromos savoureux,
mon
remords : sa rudesse, des maux,
je dégage les capucines de sa lettre.

ANDRÉ DERAIN

chante — pinsons — dressoir et pots crus en poète.
Il s'entend de patine à velouter;
le soir
une fleur des genêts sa corne vous lutine.
Allons!
tant qu'un neigeux Olympe déjeunait
en voulut-il
à son éclat? — Pommiers. —

Songeuse
mystique aux mains
ces langes bleus comme un glaçon,
l'humain frémisse
et toi : le premier-né c'est l'ange!

— A vol d'oiseau. — Que mousse
entre vos feuilles, toits exquis,
la rose blanche et qui fond, de fumée!
Où, selon que mes doigts
débouchent à l'odeur — Mai! — ce tube ou
d'almée
un pantalon chiffonnent,
m'épandre aussi verdeur à travers?

Qu'un semblant de cornette bouffonne
(et ta coiffe empesée)
appelle : tout tremblant
le ramage turquin, ma sœur, des noms en *zée*.

Ah! plus ce brouillard tendre.

FORÊT-NOIRE *

Out

Tendre capsule etc melon

Madame de Saint-Gobain trouve le temps long seule
Une côtelette se fane

Relief du sort
Où sans volets ce pignon blanc
Cascades
Les schlitteurs sont favorisés

Ça souffle
Que salubre est le vent le vent des crémeries

L'auteur de l'Auberge de l'Ange Gardien
L'an dernier est tout de même mort
A propos

De Tubingue à ma rencontre
Se portent les jeunes Kepler Hegel
Et le bon camarade

RIMBAUD PARLE.

POUR LAFCADIO

L'avenue   en même temps   le Gulf Stream
MAM VIVier

Ma maîtresse
prend en bonne part
son diminutif Les amis
sont à l'aise
On s'entend

Greffier
parlez MA langue MAternelle
Quel ennui l'heure du cher corps
corps accort
Jamais je ne gagnerai tant de guerres

Des combattants
qu'importe mes vers le lent train
l'entrain
Mieux vaut laisser dire
qu'André Breton
receveur de Contributions Indirectes
s'adonne au collage
en attendant la retraite

MONSIEUR V

A Paul Valéry

A la place de l'étoile
L'Arc de Triomphe
qui ne ressemble à un aimant que pour la forme
argenterai-je
les jardins suspendus

BERCEUSE

L'enfant à la capote de rubans
L'enfant que chatouille la mer

En grandissant
il se regarde dans une coquille nacrée
l'iris de son œil est l'étoile
dont je parlais

MARCHE

Pierre ou Paul

Il s'apprête à tirer les rois
aujourd'hui comme ailleurs
ses égaux
Rêve de révolutions

On ne saurait décrire en art
L'engin à prendre le renard bleu

UNE MAISON PEU SOLIDE

Le gardien des travaux
est victime de son dévouement

Depuis longtemps le mode de construction d'un immeuble situé rue des Martyrs était jugé déraisonnable par les gens du quartier. Rien n'apparaissait encore de la toiture que déjà les peintres et les tapissiers entreprenaient de décorer les appartements. De nouveaux échafaudages étayaient tous les jours la façade chancelante, au grand trouble des passants que le gardien des travaux rassurait. Hélas! celui-ci devait payer son optimisme de la vie puisqu'hier, à midi trente, alors que les ouvriers étaient allés déjeuner, la bâtisse s'effondrait, l'ensevelissant sous ses décombres.

Un enfant, trouvé évanoui sur les lieux du sinistre, ne fut pas long à reprendre connaissance. C'est le jeune Lespoir, 7 ans, que l'on reconduisit bien vite à ses parents. Il avait eu plus de peur que de mal. Il commença par réclamer la *trottinette* sur laquelle il s'était élancé du haut de la rue. Le garçonnet raconte qu'un homme avec un bâton s'étant précipité vers lui en criant « Gare! » il avait voulu s'enfuir. C'est tout ce dont il se souvient. On sait le reste. Son sauveur, bien connu de l'entourage sous le nom de Guillaume Apollinaire, pouvait avoir une soixantaine d'années. Il avait gagné la médaille du travail et ses compagnons l'estimaient.

Quand pourrons-nous donner la clé de ce mystère? On recherche, en vain jusqu'à présent, l'entrepreneur et l'architecte de la maison penchée. L'émotion est considérable.

Le Corset Mystère

Mes belles lectrices,

à force d'en voir **de toutes les couleurs**
Cartes splendides, *à effets de lumière,* Venise

Autrefois les meubles de ma chambre étaient fixés solidement aux murs et je me faisais attacher pour écrire :

J'ai le pied marin

nous adhérons à une sorte de **Touring Club** sentimental

UN CHATEAU A LA PLACE DE LA TÊTE

c'est aussi le **Bazar de la Charité**
Jeux très amusants pour tous âges ;

Jeux poétiques, etc.

Je tiens Paris comme — pour vous dévoiler l'avenir — votre main ouverte

la taille bien prise.

Les champs magnétiques

(1921)

USINE

La grande légende des voies ferrées et des réservoirs, la fatigue des bêtes de trait trouvent bien le cœur de certains hommes. En voici qui ont fait connaissance avec les courroies de transmission : c'est fini pour eux de la régularité de respirer. Les accidents du travail, nul ne me contredira, sont plus beaux que les mariages de raison. Cependant il arrive que la fille du patron traverse la cour. Il est plus facile de se débarrasser d'une tache de graisse que d'une feuille morte; au moins la main ne tremble pas. A égale distance des ateliers de fabrication et de décor le prisme de surveillance joue malignement avec l'étoile d'embauchage.

LUNE DE MIEL

A quoi tiennent les inclinations réciproques? Il y a des jalousies plus touchantes les unes que les autres. La rivalité d'une femme et d'un livre, je me promène volontiers dans cette obscurité. Le doigt sur la tempe n'est pas le canon d'un revolver. Je crois que nous nous écoutions penser mais le machinal « A rien » qui est le plus fier de nos refus n'eut pas à être prononcé de tout ce voyage de noces. Moins haut que les astres il n'y a rien à regarder fixement. Dans quelque train que ce soit, il est dangereux de se pencher par la portière. Les stations étaient clairement réparties sur un golfe. La mer qui pour l'œil humain n'est jamais si belle que le ciel ne nous quittait pas. Au fond de nos yeux se perdaient de jolis calculs orientés vers l'avenir comme ceux des murs de prisons.

Clair de terre

(1923)

AMOUR PARCHEMINÉ

Quand les fenêtres comme l'œil du chacal et le désir percent l'aurore, des treuils de soie me hissent sur les passerelles de la banlieue. J'appelle une fille qui rêve dans la maisonnette dorée; elle me rejoint sur les tas de mousse noire et m'offre ses lèvres qui sont des pierres au fond de la rivière rapide. Des pressentiments voilés descendent les marches des édifices. Le mieux est de fuir les grands cylindres de plume quand les chasseurs boitent dans les terres détrempées. Si l'on prend un bain dans la moire des rues, l'enfance revient au pays, levrette grise. L'homme cherche sa proie dans les airs et les fruits sèchent sur des claies de papier rose, à l'ombre des noms démesurés par l'oubli. Les joies et les peines se répandent dans la ville. L'or et l'eucalyptus, de même odeur, attaquent les rêves. Parmi les freins et les edelweiss sombres se reposent des formes souterraines semblables à des bouchons de parfumeurs.

CARTES SUR LES DUNES

L'horaire des fleurs creuses et des pommettes saillantes nous invite à quitter les salières volcaniques pour les baignoires d'oiseaux. Sur une serviette damée rouge sont disposés les jours de l'année. L'air n'est plus si pur, la route n'est plus si large que le célèbre clairon. Dans une valise peinte de gros vers on emporte les soirs périssables qui sont la place des genoux sur un prie-Dieu. De petites bicyclettes côte-lées tournent sur le comptoir. L'oreille des poissons, plus fourchue que le chèvrefeuille, écoute descendre les huiles bleues. Parmi les burnous éclatants dont la charge se perd dans les rideaux, je reconnais un homme issu de mon sang.

ÉPERVIER INCASSABLE

La ronde accomplit dans les dortoirs ses ordinaires tours de passe-passe. La nuit, deux fenêtres multicolores restent entrouvertes. Par la première s'introduisent les vices aux noirs sourcils, à l'autre les jeunes pénitentes vont se pencher. Rien ne troublerait autrement la jolie menuiserie du sommeil. On voit des mains se couvrir de manchons d'eau. Sur les grands lits vides s'enchevêtrent des ronces tandis que les oreillers flottent sur des silences plus apparents que réels. A minuit, la chambre souterraine s'étoile vers les théâtres de genre où les jumelles tiennent le principal rôle. Le jardin est rempli de timbres nickelés. Il y a un message au lieu d'un lézard sous chaque pierre.

A Francis Picabia

C'est aussi le bagne avec ses brèches blondes comme un livre sur les genoux d'une jeune fille
Tantôt il est fermé et crève de peine future sur les remous d'une mer à pic
Un long silence a suivi ces meurtres
L'argent se dessèche sur les rochers
Puis sous une apparence de beauté ou de raison contre toute apparence aussi
Et les deux mains dans une seule palme
On voit le soir
Tomber collier de perles des monts
Sur l'esprit de ces peuplades tachetées règne un amour si plaintif
Que les devins se prennent à ricaner bien haut sur les ponts de fer
Les petites statues se donnent la main à travers la ville
C'est la Nouvelle Quelque Chose travaillée au socle et à l'archet de l'arche
L'air est taillé comme un diamant
Pour les peignes de l'immense Vierge en proie à des vertiges d'essence alcoolique ou florale
La douce cataracte gronde de parfums sur les travaux

RENDEZ-VOUS

Après les tempêtes cerclées de verre, l'éclair à l'armure brouillée et cette enjambée silencieuse sous laquelle la montagne ouvre des yeux plus fascinants que le Siam, petite fille, adoratrice du pays calqué sur tes parfums, tu vas surprendre l'éveil des chercheurs dans un air révolutionné par le platine. De loin la statue rose qui porte à bout de bras une sorte de bouteille fumant dans un panier regarde par-dessus son épaule errer les anciens vanniers et acrobates. Un joli bagne d'artistes où des zèbres bleus, fouettés par les soupirs qui s'enroulent le soir autour des arbres, exécutent sans fin leur numéro! D'étonnants faisceaux, formés au bord des routes avec les bobines d'azur et le télégraphe, répondent de ta sécurité. Là, dans la lumière profane, les seins éclatant sous un globe de rosée et t'abandonnant à la glissière infinie, à travers les bambous froids tu verras passer le Prince Vandale. L'occasion brûlera aux quatre vents de soufre, de cadmium, de sel et de Bengale. Le bombyx à tête humaine étouffera peu à peu les arlequins maudits et les grandes catastrophes ressusciteront pêle-mêle, pour se résorber dans la bague au chaton vide que je t'ai donnée et qui te tuera.

PRIVÉ

Coiffé d'une cape beige, il caracole sur l'affiche de satin où deux plumes de paradis lui tiennent lieu d'éperons. Elle, de ses jointures spéciales en haut des airs part la chanson des espèces rayonnantes. Ce qui reste du moteur sanglant est envahi par l'aubépine : à cette heure les premiers scaphandriers tombent du ciel. La température s'est brusquement adoucie et chaque matin la légèreté secoue sur nos toits ses cheveux d'ange. Contre les maléfices à quoi bon ce petit chien bleuâtre au corps pris dans un solénoïde de verre noir? Et pour une fois ne se peut-il que l'expression *pour la vie* déclenche une des aurores boréales dont sera fait le tapis de table du Jugement Dernier?

LE BUVARD DE CENDRE

Les oiseaux s'ennuieront

Si j'avais oublié quelque chose

Sonnez la cloche de ces sorties d'école dans la mer
Ce que nous appellerons la bourrache pensive

On commence par donner la solution du concours
A savoir combien de larmes peuvent tenir dans une main de
  femme
1° aussi petite que possible
2° dans une main moyenne

Tandis que je froisse ce journal étoilé
Et que les chairs éternelles entrées une fois pour toutes en
  possession du sommet des montagnes
J'habite sauvagement une petite maison du Vaucluse

Cœur lettre de cachet

AU REGARD DES DIVINITÉS

« Un peu avant minuit près du débarcadère.
« Si une femme échevelée te suit n'y prends pas garde.
« C'est l'azur. Tu n'as rien à craindre de l'azur.
« Il y aura un grand vase blond dans un arbre.
« Le clocher du village des couleurs fondues
« Te servira de point de repère. Prends ton temps,
« Souviens-toi. Le geyser brun qui lance au ciel les pousses de fougère
« Te salue. »

La lettre cachetée aux trois coins d'un poisson
Passait maintenant dans la lumière des faubourgs
Comme une enseigne de dompteur.
Au demeurant
La belle, la victime, celle qu'on appelait
Dans le quartier la petite pyramide de réséda
Décousait pour elle seule un nuage pareil
A un sachet de pitié.

Plus tard l'armure blanche
Qui vaquait aux soins domestiques et autres

En prenant plus fort à son aise que jamais,
L'enfant à la coquille, celui qui devait être...
Mais silence.

Un brasier déjà donnait prise
En son sein à un ravissant roman de cape
Et d'épée.
Sur le pont, à la même heure,
Ainsi la rosée à tête de chatte se berçait.
La nuit, — et les illusions seraient perdues.

Voici les Pères blancs qui reviennent de vêpres
Avec l'immense clé pendue au-dessus d'eux.
Voici les hérauts gris; enfin voici sa lettre
Ou sa lèvre : mon cœur est un coucou pour Dieu.

Mais le temps qu'elle parle, il ne reste qu'un mur
Battant dans un tombeau comme une voile bise.
L'éternité recherche une montre-bracelet
Un peu avant minuit près du débarcadère.

TOUT PARADIS N'EST PAS PERDU

Les coqs de roche passent dans le cristal
Ils défendent la rosée à coups de crête
Alors la devise charmante de l'éclair
Descend sur la bannière des ruines
Le sable n'est plus qu'une horloge phosphorescente
Qui dit minuit
Par les bras d'une femme oubliée
Point de refuge tournant dans la campagne
Dressée aux approches et aux reculs célestes
C'est ici
Les tempes bleues et dures de la villa baignent dans la nuit
 qui décalque mes images
Chevelures chevelures
Le mal prend des forces tout près
Seulement voudra-t-il de nous

PLUTOT LA VIE

A Philippe Soupault

Plutôt la vie que ces prismes sans épaisseur même si les couleurs sont plus pures
Plutôt que cette heure toujours couverte que ces terribles voitures de flammes froides
Que ces pierres blettes
Plutôt ce cœur à cran d'arrêt
Que cette mare aux murmures
Et que cette étoffe blanche qui chante à la fois dans l'air et dans la terre
Que cette bénédiction nuptiale qui joint mon front à celui de la vanité totale
Plutôt la vie

Plutôt la vie avec ses draps conjuratoires
Ses cicatrices d'évasions
Plutôt la vie plutôt cette rosace sur ma tombe
La vie de la présence rien que de la présence
Où une voix dit Es-tu là où une autre répond Es-tu là
Je n'y suis guère hélas
Et pourtant quand nous ferions le jeu de ce que nous faisons mourir
Plutôt la vie

Plutôt la vie plutôt la vie Enfance vénérable
Le ruban qui part d'un fakir
Ressemble à la glissière du monde
Le soleil a beau n'être qu'une épave
Pour peu que le corps de la femme lui ressemble
Tu songes en contemplant la trajectoire tout du long
Ou seulement en fermant les yeux sur l'orage adorable qui a nom ta main

Plutôt la vie

Plutôt la vie avec ses salons d'attente
Lorsqu'on sait qu'on ne sera jamais introduit
Plutôt la vie que ces établissements thermaux
Où le service est fait par des colliers
Plutôt la vie défavorable et longue
Quand les livres se refermeraient ici sur des rayons moins doux
Et quand là-bas il ferait mieux que meilleur il ferait libre oui

Plutôt la vie

Plutôt la vie comme fond de dédain
A cette tête suffisamment belle
Comme l'antidote de cette perfection qu'elle appelle et qu'elle craint
La vie le fard de Dieu
La vie comme un passeport vierge
Une petite ville comme Pont-à-Mousson
Et comme tout s'est déjà dit

Plutôt la vie

SILHOUETTE DE PAILLE

A Max Ernst

Donnez-moi des bijoux de noyées
Deux crèches
Une prèle et une marotte de modiste
Ensuite pardonnez-moi
Je n'ai pas le temps de respirer
Je suis un sort
La construction solaire m'a retenu jusqu'ici
Maintenant je n'ai plus qu'à laisser mourir
Demandez le barème
Au trot le poing fermé au-dessus de ma tête qui sonne
Un verre dans lequel s'ouvre un œil jaune
Le sentiment s'ouvre aussi
Mais les princesses s'accrochent à l'air pur
J'ai besoin d'orgueil
Et de quelques gouttes plates
Pour réchauffer la marmite de fleurs moisies
Au pied de l'escalier
Pensée divine au carreau étoilé de ciel bleu
L'expression des baigneuses c'est la mort du loup
Prenez-moi pour amie
L'amie des feux et des furets
Vous regarde à deux fois
Lissez vos peines

Ma rame de palissandre fait chanter vos cheveux
Un son palpable dessert la plage
Noire de la colère des seiches
Et rouge du côté du panonceau

L'AIGRETTE

Si seulement il faisait du soleil cette nuit
Si dans le fond de l'Opéra deux seins miroitants et clairs
Composaient pour le mot amour la plus merveilleuse lettrine
  vivante
Si le pavé de bois s'entrouvrait sur la cime des montagnes
Si l'hermine regardait d'un air suppliant
Le prêtre à bandeaux rouges
Qui revient du bagne en comptant les voitures fermées
Si l'écho luxueux des rivières que je tourmente
Ne jetait que mon corps aux herbes de Paris
Que ne grêle-t-il à l'intérieur des magasins de bijouterie
Au moins le printemps ne me ferait plus peur
Si seulement j'étais une racine de l'arbre du ciel
Enfin le bien dans la canne à sucre de l'air
Si l'on faisait la courte échelle aux femmes
Que vois-tu belle silencieuse
Sous l'arc de triomphe du Carrousel
Si le plaisir dirigeait sous l'aspect d'une passante éternelle
Les Chambres n'étant plus sillonnées que par l'œillade vio-
  lette des promenoirs
Que ne donnerais-je pour qu'un bras de la Seine se glissât
  sous le Matin
Qui est de toute façon perdu
Je ne suis pas résigné non plus aux salles caressantes

Où sonne le téléphone des amendes du soir
En partant j'ai mis le feu à une mèche de cheveux qui est
celle d'une bombe
Et la mèche de cheveux creuse un tunnel sous Paris
Si seulement mon train entrait dans ce tunnel

TOURNESOL

A Pierre Reverdy

La voyageuse qui traversa les Halles à la tombée de l'été
Marchait sur la pointe des pieds
Le désespoir roulait au ciel ses grands arums si beaux
Et dans le sac à main il y avait mon rêve ce flacon de sels
Que seule a respirés la marraine de Dieu
Les torpeurs se déployaient comme la buée
Au Chien qui fume
Où venaient d'entrer le pour et le contre
La jeune femme ne pouvait être vue d'eux que mal et de biais
Avais-je affaire à l'ambassadrice du salpêtre
Ou de la courbe blanche sur fond noir que nous appelons
pensée
Le bal des innocents battait son plein
Les lampions prenaient feu lentement dans les marronniers
La dame sans ombre s'agenouilla sur le Pont au Change
Rue Gît-le-Cœur les timbres n'étaient plus les mêmes
Les promesses des nuits étaient enfin tenues
Les pigeons voyageurs les baisers de secours
Se joignaient aux seins de la belle inconnue
Dardés sous le crêpe des significations parfaites
Une ferme prospérait en plein Paris
Et ses fenêtres donnaient sur la voie lactée
Mais personne ne l'habitait encore à cause des survenants
Des survenants qu'on sait plus dévoués que les revenants

Les uns comme cette femme ont l'air de nager
Et dans l'amour il entre un peu de leur substance
Elle les intériorise
Je ne suis le jouet d'aucune puissance sensorielle
Et pourtant le grillon qui chantait dans les cheveux de cendre
Un soir près de la statue d'Étienne Marcel
M'a jeté un coup d'œil d'intelligence
André Breton a-t-il dit passe

Poisson soluble

(1924)

Moins de temps qu'il n'en faut pour le dire, moins de larmes qu'il n'en faut pour mourir; j'ai tout compté, voilà. J'ai fait le recensement des pierres; elles sont au nombre de mes doigts et de quelques autres; j'ai distribué des prospectus aux plantes, mais toutes n'ont pas voulu les accepter. Avec la musique j'ai lié partie pour une seconde seulement et maintenant je ne sais plus que penser du suicide, car si je veux me séparer de moi-même, la sortie est de ce côté et, j'ajoute malicieusement : l'entrée, la rentrée de cet autre côté. Tu vois ce qu'il te reste à faire. Les heures, le chagrin, je n'en tiens pas un compte raisonnable; je suis seul, je regarde par la fenêtre; il ne passe personne, ou plutôt personne ne *passe* (je souligne passe). Ce Monsieur, vous ne le connaissez pas? c'est M. Lemême. Je vous présente Madame Madame. Et leurs enfants. Puis je reviens sur mes pas, mes pas reviennent aussi, mais je ne sais pas exactement sur quoi ils reviennent. Je consulte un horaire; les noms de villes ont été remplacés par des noms de personnes qui m'ont touché d'assez près. Irai-je à A, retournerai-je à B, changerai-je à X? Oui, naturellement je changerai à X. Pourvu que je ne manque pas la correspondance avec l'ennui! Nous y sommes : l'ennui, les belles parallèles, ah! que les parallèles sont belles sous la perpendiculaire de Dieu.

A Antonin Artaud

Sale nuit, nuit de fleurs, nuit de râles, nuit capiteuse, nuit sourde dont la main est un cerf-volant abject retenu par des fils de tous côtés, des fils noirs, des fils honteux! Campagnes d'os blancs et rouges, qu'as-tu fait de tes arbres immondes, de ta candeur arborescente, de ta fidélité qui était une bourse aux perles serrées, avec des fleurs, des inscriptions comme ci comme ça, des significations à tout prendre? Et toi, bandit, bandit, ah! tu me tues, bandit de l'eau qui effeuilles tes couteaux dans mes yeux, tu n'as donc pitié de rien, eau rayonnante, eau lustrale que je chéris! Mes imprécations vous poursuivront longtemps comme une enfant jolie à faire peur qui agite dans votre direction son balai de genêt. Au bout de chaque branche, il y a une étoile et ce n'est pas assez, non, chicorée de la Vierge. Je ne veux plus vous voir, je veux cribler de petits plombs vos oiseaux qui ne sont même plus des feuilles, je veux vous chasser de ma porte, cœurs à pépins, cervelles d'amour. Assez de crocodiles là-bas, assez de dents de crocodile sur les cuirasses de guerriers samouraïs, assez de jets d'encre enfin, et des renégats partout, des renégats à manchettes pourpres, des renégats à œil de cassis, à cheveux de poule! C'est fini, je ne cacherai plus ma honte, je ne serai plus calmé par rien, par moins que rien. Et si les volants sont grands comme des maisons, comment voulez-vous que nous jouiions, que nous entretenions notre vermine, que nous placions nos mains sur les lèvres des coquilles qui parlent sans cesse (ces coquilles, qui les fera taire, enfin ?) Plus de souffles, plus de sang, plus d'âme, mais des mains pour pétrir l'air, pour dorer une seule fois le pain de l'air, pour faire claquer la grande gomme des drapeaux qui dorment, des mains solaires, enfin, des mains gelées !

La place du Porte-Manteau, toutes fenêtres ouvertes ce matin, est sillonnée par les taxis à drapeau vert et les voitures de maîtres. De belles inscriptions en lettres d'argent répandent à tous les étages les noms des banquiers, des coureurs célèbres. Au centre de la place. le Porte-Manteau lui-même, un rouleau de papier à la main, semble indiquer à son cheval la route où jadis ont foncé les oiseaux de paradis apparus un soir sur Paris. Le cheval, dont la crinière blanche traîne à terre, se cabre avec toute la majesté désirable, et dans son ombre ricochent les petites lumières tournantes en dépit du grand jour. Des fûts sont éventrés sur le côté gauche de la place; les ramures des arbres y plongent par instants pour se redresser ensuite couvertes de bourgeons de cristal et de guêpes démesurément longues. Les fenêtres de la place ressemblent à des rondelles de citron, tant par leur forme circulaire, dite œil-de-bœuf, que par leurs perpétuelles vaporisations de femmes en déshabillé. L'une d'elles se penche sur la visibilité des coquilles inférieures, les ruines d'un escalier qui s'enfonce dans le sol, l'escalier qu'a pris un jour le miracle. Elle palpe longuement les parois des rêves, comme une gerbe de feu d'artifice qui s'élève au-dessus d'un jardin. Dans une vitrine, la coque d'un superbe paquebot blanc, dont l'avant, gravement endommagé, est en proie à des fourmis d'une espèce inconnue. Tous les hommes sont en noir, mais ils portent l'uniforme des garçons de recette, à cette différence près que la serviette à chaîne traditionnelle est remplacée par un écran ou par un miroir noir. Sur la place du Porte-Manteau ont lieu des viols et la disparition s'y est fait construire une guérite à claire-voie pour l'été.

Les personnages de la comédie se rassemblent sous un porche, l'ingénue aux accroche-cœur de chèvrefeuille, la duègne, le chevalier de cire et l'enfant traître. Par-dessus les ruisseaux qui sont des estampes galantes, les jupes s'envolent à moins que des bras pareils à ceux d'Achille ne s'offrent aux belles à leur faire traverser les ruelles. Le départ des corvettes qui emportent l'or et les étoffes imprimées est sonné mainte et mainte fois dans le petit port. Le charmant groseillier en fleur qui est un fermier général étend lentement les bras sur sa couche. Près de lui son épée est une libellule bleue. Quand il marche, prisonnier des grâces, les chevaux ailés qui piaffent dans son écurie semblent prêts à s'élancer dans les directions les plus folles.

Pendant ce temps les baladins se reprochent leur ombre rose, ils élèvent au soleil leur singe favori aux manchettes de papillon. Au loin on aperçoit un incendie dans lequel sombrent de grandes grilles : c'est que les forêts qui s'étendent à perte de vue sont en feu et les rires des femmes apparaissent comme des buissons de gui sur les arbres du canal. Les stalactites de la nuit, de toutes couleurs, ravivent encore l'éclat des flammes vers Cythère et la rosée, qui agrafe lentement son collier aux épaules des plantes, est un prisme merveilleux pour la fin du siècle des siècles. Les voleurs, ce sont des musiciens immobiles contre le mur de l'église depuis qu'aux instruments de leur profession se sont trouvées mêlées des violes, des guitares et des flûtes. Un lévrier doré fait le mort dans chacune des salles du château. Rien n'a chance d'arracher le temps à son vol puisque les mêmes nuages que la veille se rendent à la mer qui bout.

Sur les remparts de la ville, une compagnie de chevau-légers, que caressaient les grisailles du soir, corsets et cottes de maille, va s'embusquer au fond de l'eau.

L'union libre

(1931)

Ma femme à la chevelure de feu de bois
Aux pensées d'éclairs de chaleur
A la taille de sablier
Ma femme à la taille de loutre entre les dents du tigre
Ma femme à la bouche de cocarde et de bouquet d'étoiles
de dernière grandeur
Aux dents d'empreintes de souris blanche sur la terre blanche
A la langue d'ambre et de verre frottés
Ma femme à la langue d'hostie poignardée
A la langue de poupée qui ouvre et ferme les yeux
A la langue de pierre incroyable
Ma femme aux cils de bâtons d'écriture d'enfant
Aux sourcils de bord de nid d'hirondelle
Ma femme aux tempes d'ardoise de toit de serre
Et de buée aux vitres
Ma femme aux épaules de champagne
Et de fontaine à têtes de dauphins sous la glace
Ma femme aux poignets d'allumettes
Ma femme aux doigts de hasard et d'as de cœur
Aux doigts de foin coupé
Ma femme aux aisselles de martre et de fênes
De nuit de la Saint-Jean
De troène et de nid de scalares
Aux bras d'écume de mer et d'écluse
Et de mélange du blé et du moulin

Ma femme aux jambes de fusée
Aux mouvements d'horlogerie et de désespoir
Ma femme aux mollets de moelle de sureau
Ma femme aux pieds d'initiales
Aux pieds de trousseaux de clés aux pieds de calfats qui boivent
Ma femme au cou d'orge imperlé
Ma femme à la gorge de Val d'or
De rendez-vous dans le lit même du torrent
Aux seins de nuit
Ma femme aux seins de taupinière marine
Ma femme aux seins de creuset du rubis
Aux seins de spectre de la rose sous la rosée
Ma femme au ventre de dépliement d'éventail des jours
Au ventre de griffe géante
Ma femme au dos d'oiseau qui fuit vertical
Au dos de vif-argent
Au dos de lumière
A la nuque de pierre roulée et de craie mouillée
Et de chute d'un verre dans lequel on vient de boire
Ma femme aux hanches de nacelle
Aux hanches de lustre et de pennes de flèche
Et de tiges de plumes de paon blanc
De balance insensible
Ma femme aux fesses de grès et d'amiante
Ma femme aux fesses de dos de cygne
Ma femme aux fesses de printemps
Au sexe de glaïeul
Ma femme au sexe de placer et d'ornithorynque
Ma femme au sexe d'algue et de bonbons anciens
Ma femme au sexe de miroir
Ma femme aux yeux pleins de larmes
Aux yeux de panoplie violette et d'aiguille aimantée
Ma femme aux yeux de savane
Ma femme aux yeux d'eau pour boire en prison
Ma femme aux yeux de bois toujours sous la hache
Aux yeux de niveau d'eau de niveau d'air de terre et de feu

Le revolver à cheveux blancs

(1932)

LA MORT ROSE

Les pieuvres ailées guideront une dernière fois la barque dont les voiles sont faites de ce seul jour heure par heure
C'est la veillée unique après quoi tu sentiras monter dans tes cheveux le soleil blanc et noir
Des cachots suintera une liqueur plus forte que la mort
Quand on la contemple du haut d'un précipice
Les comètes s'appuieront tendrement aux forêts avant de les foudroyer
Et tout passera dans l'amour indivisible
Si jamais le motif des fleuves disparaît
Avant qu'il fasse complètement nuit tu observeras
La grande pause de l'argent
Sur un pêcher en fleur apparaîtront les mains
Qui écrivirent ces vers et qui seront des fuseaux d'argent
Elles aussi et aussi des hirondelles d'argent sur le métier de la pluie
Tu verras l'horizon s'entrouvrir et c'en sera fini tout à coup du baiser de l'espace
Mais la peur n'existera déjà plus et les carreaux du ciel et de la mer
Voleront au vent plus fort que nous
Que ferai-je du tremblement de ta voix
Souris valseuse autour du seul lustre qui ne tombera pas
Treuil du temps

Je monterai les cœurs des hommes
Pour une suprême lapidation
Ma faim tournoiera comme un diamant trop taillé
Elle nattera les cheveux de son enfant le feu
Silence et vie
Mais les noms des amants seront oubliés
Comme l'adonide goutte de sang
Dans la lumière folle
Demain tu mentiras à ta propre jeunesse
A ta grande jeunesse luciole
Les échos mouleront seuls tous ces lieux qui furent
Et dans l'infinie végétation transparente
Tu te promèneras avec la vitesse
Qui commande aux bêtes des bois
Mon épave peut-être tu t'y égratigneras
Sans la voir comme on se jette sur une arme flottante
C'est que j'appartiendrai au vide semblable aux marches
D'un escalier dont le mouvement s'appelle *bien en peine*
A toi les parfums dès lors les parfums défendus
L'angélique
Sous la mousse creuse et sous tes pas qui n'en sont pas
Mes rêves seront formels et vains comme le bruit de paupières de l'eau dans l'ombre
Je m'introduirai dans les tiens pour y sonder la profondeur de tes larmes
Mes appels te laisseront doucement incertaine
Et dans le train fait de tortues de glace
Tu n'auras pas à tirer le signal d'alarme
Tu arriveras seule sur cette plage perdue
Où une étoile descendra sur tes bagages de sable

NON-LIEU

Art des jours art des nuits
La balance des blessures qui s'appelle Pardonne
Balance rouge et sensible au poids d'un vol d'oiseau
Quand les écuyères au col de neige les mains vides
Poussent leurs chars de vapeur sur les prés
Cette balance sans cesse affolée je la vois
Je vois l'ibis aux belles manières
Qui revient de l'étang lacé dans mon cœur
Les roues du rêve charment les splendides ornières
Qui se lèvent très haut sur les coquilles de leurs robes
Et l'étonnement bondit de-ci de-là sur la mer
Partez ma chère aurore n'oubliez rien de ma vie
Prenez ces roses qui grimpent au puits des miroirs
Prenez les battements de tous les cils
Prenez jusqu'aux fils qui soutiennent les pas des danseurs de
corde et des gouttes d'eau
Art des jours art des nuits
Je suis à la fenêtre très loin dans une cité pleine d'épouvante
Dehors des hommes à chapeau claque se suivent à intervalle
régulier
Pareils aux pluies que j'aimais
Alors qu'il faisait si beau
« A la rage de Dieu » est le nom d'un cabaret où je suis
entré hier

Il est écrit sur la devanture blanche en lettres plus pâles
Mais les femmes-marins qui glissent derrière les vitres
Sont trop heureuses pour être peureuses
Ici jamais de corps toujours l'assassinat sans preuves
Jamais le ciel toujours le silence
Jamais la liberté que pour la liberté

SUR LA ROUTE QUI MONTE ET DESCEND

Dites-moi où s'arrêtera la flamme
Existe-t-il un signalement des flammes
Celle-ci corne à peine le papier
Elle se cache dans les fleurs et rien ne l'alimente
Mais on voit dans les yeux et l'on ne sait pas non plus ce qu'on voit dans les yeux
Puisqu'ils vous voient
Une statue est agenouillée sur la mer mais
Ce n'est plus la mer
Les phares se dressent maintenant dans la ville
Ils barrent la route aux blocs merveilleux de glace et de chair
Qui précipitaient dans l'arène leurs innombrables chars
La poussière endort les femmes en habits de reines
Et la flamme court toujours
C'est une fraise de dentelle au cou d'un jeune seigneur
C'est l'imperceptible sonnerie d'une cloche de paille dans la maison d'un poète ou de quelque autre vaurien
C'est l'hémisphère boréal tout entier
Avec ses lampes suspendues ses pendules qui se posent
C'est ce qui monte du précipice à l'heure du rendez-vous
Les cœurs sont les rames légères de cet océan perdu
Lorsque les signaux tournent au bord des voies avec un bruit sec
Qui ressemble à ce craquement spécial sous les pas des prêtres

Il n'y a plus d'actrice en tournée dans les wagons blanc et or
Qui la tête à la portière justement des pensées d'eau très grandes couvrent les mares
Ne s'attende à ce que la flamme lui confère l'oubli définitif de son rôle
Les étiquettes effacées des bouteilles vertes parlent encore de châteaux
Mais ces châteaux sont déserts à l'exception d'une chevelure vivante
Château-Ausone
Et cette chevelure qui ne s'attarde point à se défaire
Flotte sur l'air méduse C'est la flamme
Elle tourne maintenant autour d'une croix
Méfiez-vous elle profanerait votre tombe
Sous terre la méduse est encore chez elle
Et la flamme aux ailes de colombe n'escorte que les voyageurs en danger
Elle fausse compagnie aux amants dès qu'ils sont deux à être seuls
...Où va-t-elle je vois se briser les glaces de Venise aux approches de Venise
Je vois s'ouvrir des fenêtres détachées de toute espèce de mur sur un chantier
Là des ouvriers nus font le bronze plus clair
Ce sont des tyrans trop doux pour que contre eux se soulèvent les pierres
Ils ont des bracelets aux pieds qui sont faits de ces pierres
Les parfums gravitent autour d'eux étoile de la myrrhe terre du foin
Ils connaissent les pays pluvieux dévoilés par les perles
Un collier de perles fait un moment paraître grise la flamme
Mais aussitôt une couronne de flammes s'incorpore les perles immortelles
A la naissance d'un bois qui doit sauver de la destruction les seules essences des plantes

Prennent part un homme et tout en haut d'une rampe d'escalier de fougère
Plusieurs femmes groupées sur les dernières marches
Elles ouvrent et ferment les yeux comme les poupées
L'homme que je ne suis plus cravache alors la dernière bête blanche
Qui s'évanouit dans la brume du matin
Sa volonté sera-t-elle faite
Dans le premier berceau de feuillage la flamme tombe comme un hochet
Sous ses yeux on jette le filet des racines
Un couvert d'argent sur une toile d'araignée
Mais la flamme elle ne saurait reprendre haleine
Malheur à une flamme qui reprendrait haleine
Je pense à une flamme barbare
Comme celle qui passant dans ce restaurant de nuit brûle aux doigts des femmes les éventails
Comme celle qui marche à toute heure sur ma trace
Et lui à la tombée des feuilles dans chaque feuille qui tombe
Flamme d'eau guide-moi jusqu'à la mer de feu

LES ATTITUDES SPECTRALES

Je n'attache aucune importance à la vie
Je n'épingle pas le moindre papillon de vie à l'importance
Je n'importe pas à la vie
Mais les rameaux du sel les rameaux blancs
Toutes les bulles d'ombre
Et les anémones de mer
Descendent et respirent à l'intérieur de ma pensée
Ils viennent des pleurs que je ne verse pas
Des pas que je ne fais pas qui sont deux fois des pas
Et dont le sable se souvient à la marée montante
Les barreaux sont à l'intérieur de la cage
Et les oiseaux viennent de très haut chanter devant ces barreaux
Un passage souterrain unit tous les parfums
Un jour une femme s'y engagea
Cette femme devint si brillante que je ne pus la voir
De ces yeux qui m'ont vu moi-même brûler
J'avais déjà cet âge que j'ai
Et je veillais sur moi sur ma pensée comme un gardien de nuit dans une immense fabrique
Seul gardien
Le rond-point enchantait toujours les mêmes tramways
Les figures de plâtre n'avaient rien perdu de leur expression
Elles mordaient la figue du sourire

Je connais une draperie dans une ville disparue
S'il me plaisait de vous apparaître vêtu de cette draperie
Vous croiriez à l'approche de votre fin
Comme à la mienne
Enfin les fontaines comprendraient qu'il ne faut pas dire
Fontaine
On attire les loups avec les miroirs de neige
Je possède une barque détachée de tous les climats
Je suis entraîné par une banquise aux dents de flamme
Je coupe et je fends le bois de cet arbre qui sera toujours vert
Un musicien se prend dans les cordes de son instrument
Le Pavillon Noir du temps d'aucune histoire d'enfance
Aborde un vaisseau qui n'est encore que le fantôme du sien
Il y a peut-être une garde à cette épée
Mais dans cette garde il y a déjà un duel
Au cours duquel les deux adversaires se désarment
Le mort est le moins offensé
L'avenir n'est jamais

Les rideaux qui n'ont jamais été levés
Flottent aux fenêtres des maisons qu'on construira
Les lits faits de tous les lys
Glissent sous les lampes de rosée
Un soir viendra
Les pépites de lumière s'immobilisent sous la mousse bleue
Les mains qui font et défont les nœuds de l'amour et de l'air
Gardent toute leur transparence pour ceux qui voient
Ils voient les palmes sur les mains
Les couronnes dans les yeux
Mais le brasier des couronnes et des palmes
S'allume ne fait à peine que s'allumer au plus profond de la
forêt
Là où les cerfs mirent en penchant la tête les années
On n'entend encore qu'un faible battement
D'où procèdent mille bruits plus légers ou plus sourds

Et ce battement se perpétue
Il y a des robes qui vibrent
Et leur vibration est à l'unisson de ce battement
Mais quand je veux voir le visage de celles qui les portent
Un grand brouillard se lève de terre
Au bas des clochers derrière les plus élégants réservoirs de
vie et de richesse
Dans les gorges qui s'obscurcissent entre deux montagnes
Sur la mer à l'heure où le soleil fraîchit
Les êtres qui me font signe sont séparés par des étoiles
Et pourtant la voiture lancée au grand galop
Emporte jusqu'à ma dernière hésitation
Qui m'attend là-bas dans la ville où les statues de bronze
et de pierre ont changé de place avec les statues de cire
Banians banians

HÔTEL DES ÉTINCELLES

Le papillon philosophique
Se pose sur l'étoile rose
Et cela fait une fenêtre de l'enfer
L'homme masqué est toujours debout devant la femme nue
Dont les cheveux glissent comme au matin la lumière sur
un réverbère qu'on a oublié d'éteindre
Les meubles savants entraînent la pièce qui jongle
Avec ses rosaces
Ses rayons de soleil circulaires
Ses moulages de verre
A l'intérieur desquels bleuit un ciel au compas
En souvenir de la poitrine inimitable
Maintenant le nuage d'un jardin passe par-dessus la tête de
l'homme qui vient de s'asseoir
Il coupe en deux la femme au buste de magie aux yeux de
Parme
C'est l'heure où l'ours boréal au grand air d'intelligence
S'étire et compte un jour
De l'autre côté la pluie se cabre sur les boulevards d'une
grande ville
La pluie dans le brouillard avec des traînées de soleil sur des
fleurs rouges
La pluie et le diabolo des temps anciens
Les jambes sous le nuage fruitier font le tour de la serre

On n'aperçoit plus qu'une main très blanche le pouls est figuré par deux minuscules ailes
Le balancier de l'absence oscille entre les quatre murs
Fendant les têtes
D'où s'échappent des bandes de rois qui se font aussitôt la guerre
Jusqu'à ce que l'éclipse orientale
Turquoise au fond des tasses
Découvre le lit équilatéral aux draps couleur de ces fleurs dites boules-de-neige
Les guéridons charmants les rideaux lacérés
A portée d'un petit livre griffé de ces mots *Point de lendemain*
Dont l'auteur porte un nom bizarre
Dans l'obscure signalisation terrestre

LE VERBE ÊTRE

Je connais le désespoir dans ses grandes lignes. Le désespoir n'a pas d'ailes, il ne se tient pas nécessairement à une table desservie sur une terrasse, le soir, au bord de la mer. C'est le désespoir et ce n'est pas le retour d'une quantité de petits faits comme des graines qui quittent à la nuit tombante un sillon pour un autre. Ce n'est pas la mousse sur une pierre ou le verre à boire. C'est un bateau criblé de neige, si vous voulez, comme les oiseaux qui tombent et leur sang n'a pas la moindre épaisseur. Je connais le désespoir dans ses grandes lignes. Une forme très petite, délimitée par des bijoux de cheveux. C'est le désespoir. Un collier de perles pour lequel on ne saurait trouver de fermoir et dont l'existence ne tient pas même à un fil, voilà le désespoir. Le reste nous n'en parlons pas. Nous n'avons pas fini de désespérer si nous commençons. Moi je désespère de l'abat-jour vers quatre heures, je désespère de l'éventail vers minuit, je désespère de la cigarette des condamnés. Je connais le désespoir dans ses grandes lignes. Le désespoir n'a pas de cœur, la main reste toujours au désespoir hors d'haleine, au désespoir dont les glaces ne nous disent jamais s'il est mort. Je vis de ce désespoir qui m'enchante. J'aime cette mouche bleue qui vole dans le ciel à l'heure où les étoiles chantonnent. Je connais dans ses grandes lignes le désespoir aux longs étonnements grêles, le désespoir de la fierté, le désespoir de la colère. Je me lève chaque jour comme tout le monde et je détends les bras sur un papier à fleurs, je ne me souviens de rien et c'est toujours avec désespoir que je découvre les beaux arbres déracinés de la nuit. L'air de la chambre est beau comme des baguettes de tambour. Il fait un temps de temps. Je connais le désespoir dans ses grandes lignes. C'est comme le vent du rideau qui me tend la perche. A-t-on idée d'un désespoir pareil! Au feu! Ah ils vont encore venir... Au secours! Les voici qui tombent dans l'escalier... Et les annonces de journal, et les réclames lumineuses le long du canal. Tas de sable, va, espèce de tas de sable! Dans ses grandes lignes le désespoir n'a pas d'importance. C'est une corvée d'arbres qui va encore faire une forêt, c'est une corvée d'étoiles qui va encore faire un jour de moins, c'est une corvée de jours de moins qui va encore faire ma vie.

LES ÉCRITS S'EN VONT

Le satin des pages qu'on tourne dans les livres moule une
femme si belle
Que lorsqu'on ne lit pas on contemple cette femme avec tristesse
Sans oser lui parler sans oser lui dire qu'elle est si belle
Que ce qu'on va savoir n'a pas de prix
Cette femme passe imperceptiblement dans un bruit de fleurs
Parfois elle se retourne dans les saisons imprimées
Et demande l'heure ou bien encore elle fait mine de regarder
des bijoux bien en face
Comme les créatures réelles ne font pas
Et le monde se meurt une rupture se produit dans les anneaux
d'air
Un accroc à l'endroit du cœur
Les journaux du matin apportent des chanteuses dont la voix
a la couleur du sable sur des rivages tendres et dangereux
Et parfois ceux du soir livrent passage à de toutes jeunes filles
qui mènent des bêtes enchaînées
Mais le plus beau c'est dans l'intervalle de certaines lettres
Où des mains plus blanches que la corne des étoiles à midi
Ravagent un nid d'hirondelles blanches
Pour qu'il pleuve toujours
Si bas si bas que les ailes ne s'en peuvent plus mêler
Des mains d'où l'on remonte à des bras si légers que la vapeur

des prés dans ses gracieux entrelacs au-dessus des étangs est leur imparfait miroir
Des bras qui ne s'articulent à rien d'autre qu'au danger exceptionnel d'un corps fait pour l'amour
Dont le ventre appelle les soupirs détachés des buissons pleins de voiles
Et qui n'a de terrestre que l'immense vérité glacée des traîneaux de regards sur l'étendue toute blanche
De ce que je ne reverrai plus
A cause d'un bandeau merveilleux
Qui est le mien dans le colin-maillard des blessures

LA FORÊT DANS LA HACHE

On vient de mourir mais je suis vivant et cependant je n'ai plus d'âme. Je n'ai plus qu'un corps transparent à l'intérieur duquel des colombes transparentes se jettent sur un poignard transparent tenu par une main transparente. Je vois l'effort dans toute sa beauté, l'effort réel qui ne se chiffre par rien, peu avant l'apparition de la dernière étoile. Le corps que j'habite comme une hutte et à forfait déteste l'âme que j'avais et qui surnage au loin. C'est l'heure d'en finir avec cette fameuse dualité qu'on m'a tant reprochée. Fini le temps où des yeux sans lumière et sans bagues puisaient le trouble dans les mares de la couleur. Il n'y a plus ni rouge ni bleu. Le rouge-bleu unanime s'efface à son tour comme un rouge-gorge dans les haies de l'inattention. On vient de mourir, — ni toi, ni moi, ni eux exactement mais nous tous, sauf moi qui survis de plusieurs façons : j'ai encore froid, par exemple. En voilà assez. Du feu! Du feu! Ou bien des pierres pour que je les fende, ou bien des oiseaux pour que je les suive, ou bien des corsets pour que je les serre autour de la taille des femmes mortes, et qu'elles ressuscitent, et qu'elles m'aiment, avec leurs cheveux fatigants, leurs regards défaits! Du feu, pour qu'on ne soit pas mort pour des prunes à l'eau-de-vie, du feu pour que le chapeau de paille d'Italie ne soit pas seulement une pièce de théâtre! Allo, le gazon! Allo, la pluie! C'est moi l'irréel souffle de ce jardin. La couronne noire posée sur ma tête est un cri de corbeaux migrateurs car il n'y avait jusqu'ici que des enterrés vivants, d'ailleurs en petit nombre, et voici que je suis le premier *aéré mort*. Mais j'ai un corps pour ne plus m'en défaire, pour forcer les reptiles à m'admirer. Des mains sanglantes, des yeux de gui, une bouche de feuille morte et de verre (les feuilles mortes bougent sous le verre; elles ne sont pas aussi rouges qu'on le pense, quand l'indifférence expose ses méthodes voraces), des mains pour te cueillir, thym minuscule de mes rêves, romarin de mon extrême pâleur. Je n'ai plus d'ombre non plus. Ah mon ombre, ma chère ombre. Il faut que j'écrive une longue lettre à cette ombre que j'ai perdue. Je commencerai par Ma chère ombre. Ombre, ma chérie. Tu vois. Il n'y a plus de soleil. Il n'y a plus qu'un tropique sur deux. Il n'y a plus qu'un homme sur mille. Il n'y a plus qu'une femme sur l'absence de pensée qui caractérise en noir pur cette époque maudite. Cette femme tient un bouquet d'immortelles de la forme de mon sang.

TOUTES LES ÉCOLIÈRES ENSEMBLE

Souvent tu dis marquant la terre du talon comme éclôt dans un buisson l'églantine
Sauvage qui n'a l'air faite que de rosée
Tu dis Toute la mer et tout le ciel pour une seule
Victoire d'enfance dans le pays de la danse ou mieux pour une seule
Étreinte dans le couloir d'un train
Qui va au diable avec les coups de fusil sur un pont ou mieux
Encore pour une seule farouche parole
Telle qu'en doit dire en vous regardant
Un homme sanglant dont le nom va très loin d'arbre en arbre
Qui ne fait qu'entrer et sortir parmi cent oiseaux de neige
Où donc est-ce bien
Et quand tu dis cela toute la mer et tout le ciel
S'éparpillent comme une nuée de petites filles dans la cour d'un pensionnat sévère
Après une dictée où *Le cœur m'en dit*
S'écrivait peut-être *Le cœur mendie*

NŒUD DES MIROIRS

Les belles fenêtres ouvertes et fermées
Suspendues aux lèvres du jour
Les belles fenêtres en chemise
Les belles fenêtres aux cheveux de feu dans la nuit noire
Les belles fenêtres de cris d'alarme et de baisers
Au-dessus de moi au-dessous de moi derrière moi il y en a moins qu'en moi
Où elles ne font qu'un seul cristal bleu comme les blés
Un diamant divisible en autant de diamants qu'il en faudrait pour se baigner à tous les bengalis
Et les saisons qui ne sont pas quatre mais quinze ou seize
En moi parmi lesquelles celle où le métal fleurit
Celle dont le sourire est moins qu'une dentelle
Celle où la rosée du soir unit les femmes et les pierres
Les saisons lumineuses comme l'intérieur d'une pomme dont on a détaché un quartier
Ou encore comme un quartier excentrique habité par des êtres qui sont de mèche avec le vent
Ou encore comme le vent de l'esprit qui la nuit ferre d'oiseaux sans bornes les chevaux à naseaux d'algèbre
Ou encore comme la formule

Teinture de passiflore } aa 50 cent. cubes
Teinture d'aubépine }

Teinture de gui — 5 cent. cubes
Teinture de scille — 3 cent. cubes

qui combat le bruit de galop

Les saisons remontent maille par maille leur filet brillant de l'eau vive de mes yeux
Et dans ce filet il y a ce que j'ai vu c'est la spire d'un fabuleux coquillage
Qui me rappelle l'exécution en vase clos de l'empereur Maximilien
Il y a ce que j'ai aimé c'est le plus haut rameau de l'arbre de corail qui sera foudroyé
C'est le *style* du cadran solaire à minuit vrai
Il y a ce que je connais bien ce que je connais si peu que prête-moi tes serres vieux délire
Pour m'élever avec mon cœur le long de la cataracte
Les aéronautes parlent de l'efflorescence de l'air en hiver

UN HOMME ET UNE FEMME ABSOLUMENT BLANCS

Tout au fond de l'ombrelle je vois les prostituées merveilleuses
Leur robe un peu passée du côté du réverbère couleur des bois
Elles promènent avec elles un grand morceau de papier mural
Comme on ne peut en contempler sans serrement de cœur aux anciens étages d'une maison en démolition
Ou encore une coquille de marbre blanc tombée d'une cheminée
Ou encore un filet de ces chaînes qui derrière elles se brouillent dans les miroirs
Le grand instinct de la combustion s'empare des rues où elles se tiennent
Comme des fleurs grillées
Les yeux au loin soulevant un vent de pierre
Tandis qu'elles s'abîment immobiles au centre du tourbillon
Rien n'égale pour moi le sens de leur pensée inappliquée
La fraîcheur du ruisseau dans lequel leurs bottines trempent l'ombre de leur bec
La réalité de ces poignées de foin coupé dans lesquelles elles disparaissent
Je vois leurs seins qui mettent une pointe de soleil dans la nuit profonde

Et dont le temps de s'abaisser et de s'élever est la seule mesure
exacte de la vie
Je vois leurs seins qui sont des étoiles sur des vagues
Leurs seins dans lesquels pleure à jamais l'invisible lait bleu

FACTEUR CHEVAL

Nous les oiseaux que tu charmes toujours du haut de ces belvédères
Et qui chaque nuit ne faisons qu'une branche fleurie de tes épaules aux bras de ta brouette bien-aimée
Qui nous arrachons plus vifs que des étincelles à ton poignet
Nous sommes les soupirs de la statue de verre qui se soulève sur le coude quand l'homme dort
Et que des brèches brillantes s'ouvrent dans son lit
Brèches par lesquelles on peut apercevoir des cerfs aux bois de corail dans une clairière
Et des femmes nues tout au fond d'une mine
Tu t'en souviens tu te levais alors tu descendais du train
Sans un regard pour la locomotive en proie aux immenses racines barométriques
Qui se plaint dans la forêt vierge de toutes ses chaudières meurtries
Ses cheminées fumant de jacinthes et mue par des serpents bleus
Nous te précédions alors nous les plantes sujettes à métamorphoses
Qui chaque nuit nous faisons des signes que l'homme peut surprendre
Tandis que sa maison s'écroule et qu'il s'étonne devant les emboîtements singuliers

Que recherche son lit avec le corridor et l'escalier
L'escalier se ramifie indéfiniment
Il mène à une porte de meule il s'élargit tout à coup sur une place publique
Il est fait de dos de cygnes une aile ouverte pour la rampe
Il tourne sur lui-même comme s'il allait se mordre
Mais non il se contente sur nos pas d'ouvrir toutes ses marches comme des tiroirs
Tiroirs de pain tiroirs de vin tiroirs de savon tiroirs de glaces tiroirs d'escaliers
Tiroirs de chair à la poignée de cheveux
A cette heure où des milliers de canards de Vaucanson se lissent les plumes
Sans te retourner tu saisissais la truelle dont on fait les seins
Nous te souriions tu nous tenais par la taille
Et nous prenions les attitudes de ton plaisir
Immobiles sous nos paupières pour toujours comme la femme aime voir l'homme
Après avoir fait l'amour

RIDEAU RIDEAU

Les théâtres vagabonds des saisons qui auront joué ma vie
Sous mes sifflets
L'avant-scène avait été aménagée en cachot d'où je pouvais siffler
Les mains aux barreaux je voyais sur fond de verdure noire
L'héroïne nue jusqu'à la ceinture
Qui se suicidait au début du premier acte
La pièce se poursuivait inexplicablement dans le lustre
La scène se couvrant peu à peu de brouillard
Et je criais parfois
Je brisais la cruche qu'on m'avait donnée et de laquelle s'échappaient des papillons
Qui montaient follement vers le lustre
Sous prétexte d'intermède encore de ballet qu'on tenait à me donner de mes pensées
J'essayais alors de m'ouvrir le poignet avec les morceaux de terre brune
Mais c'étaient des pays dans lesquels je m'étais perdu
Impossible de retrouver le fil de ces voyages
J'étais séparé de tout par le pain du soleil
Un personnage circulait dans la salle seul personnage agile
Qui s'était fait un masque de mes traits
Il prenait odieusement parti pour l'ingénue et pour le traître
Le bruit courait que c'était arrangé comme mai juin juillet août

Soudain la caverne se faisait plus profonde
Dans les couloirs interminables des bouquets tenus à hauteur de main
Erraient seuls c'est à peine si j'osais entrouvrir ma porte
Trop de liberté m'était accordée à la fois
Liberté de m'enfuir en traîneau de mon lit
Liberté de faire revivre les êtres qui me manquent
Les chaises d'aluminium se resserraient autour d'un kiosque de glaces
Sur lequel se levait un rideau de rosée frangé de sang devenu vert
Liberté de chasser devant moi les apparences réelles
Le sous-sol était merveilleux sur un mur blanc apparaissait en pointillé de feu ma silhouette percée au cœur d'une balle

LE SPHINX VERTÉBRAL

La belle ombre patiente et courbe fait le tour des pavés
Les fenêtres vénitiennes s'ouvrent et se ferment sur la place
Où vont en liberté des bêtes suivies de feux
Les réverbères mouillés bruissent encadrés d'une nuée d'yeux bleus
Qui couvrent le paysage en amont de la ville
Ce matin proue du soleil comme tu t'engloutis dans les superbes chants exhalés à l'ancienne derrière les rideaux par les guetteuses nues
Tandis que les arums géants tournent autour de leur taille
Et que le mannequin sanglant saute sur ses trois pieds dans le grenier
Il vient disent-elles en cambrant leur cou sur lequel le bondissement des nattes libère des glaciers à peine roses
Qui se fendent sous le poids d'un rai de lumière tombant des persiennes arrachées
Il vient c'est le loup aux dents de verre
Celui qui mange l'heure dans les petites boîtes rondes
Celui qui souffle les parfums trop pénétrants des herbes
Celui qui fume les petits feux de passage le soir dans les navets
Les colonnes des grands appartements de marbre et de vétiver crient
Elles crient elles sont prises de ces mouvements de va-et-vient

qui n'animaient jusque-là que certaines pièces colossales des usines
Les femmes immobiles sur les plaques tournantes vont voir
Il fait jour à gauche mais nuit complètement nuit à droite
Il y a des branchages encore pleins d'oiseaux qui passent à toute allure obscurcissant le trou de la croisée
Des oiseaux blancs qui pondent des œufs noirs
Où sont ces oiseaux que remplacent maintenant des étoiles bordées de deux rangs de perles
Une tête de poisson très très longue ce n'est pas encore lui
De la tête de poisson naissent des jeunes filles secouant un tamis
Et du tamis des cœurs faits de larmes bataviques
Il vient c'est le loup aux dents de verre
Celui qui volait très haut sur les terrains vagues reparus au-dessus des maisons
Avec des plantes aiguisées toutes tournées vers ses yeux
D'un vert à défier une bouteille de mousse renversée sur la neige
Ses griffes de jade dans lesquelles il se mire en volant
Son poil de la couleur des étincelles
C'est lui qui gronde dans les forges au crépuscule et dans les lingeries abandonnées
Il est visible on le touche il avance avec son balancier sur le fil tendu d'hirondelles
Les guetteuses se penchent aux fenêtres
De tout leur côté d'ombre de tout leur côté de lumière
La bobine du jour est tirée par petits coups du côté du paradis de sable
Les pédales de la nuit bougent sans interruption

VIGILANCE

A Paris la tour Saint-Jacques chancelante
Pareille à un tournesol
Du front vient quelquefois heurter la Seine et son ombre glisse imperceptiblement parmi les remorqueurs
A ce moment sur la pointe des pieds dans mon sommeil
Je me dirige vers la chambre où je suis étendu
Et j'y mets le feu
Pour que rien ne subsiste de ce consentement qu'on m'a arraché
Les meubles font alors place à des animaux de même taille qui me regardent fraternellement
Lions dans les crinières desquels achèvent de se consumer les chaises
Squales dont le ventre blanc s'incorpore le dernier frisson des draps
A l'heure de l'amour et des paupières bleues
Je me vois brûler à mon tour je vois cette cachette solennelle de riens
Qui fut mon corps
Fouillée par les becs patients des ibis du feu
Lorsque tout est fini j'entre invisible dans l'arche
Sans prendre garde aux passants de la vie qui font sonner très loin leurs pas traînants
Je vois les arêtes du soleil

A travers l'aubépine de la pluie
J'entends se déchirer le linge humain comme une grande feuille
Sous l'ongle de l'absence et de la présence qui sont de connivence
Tous les métiers se fanent il ne reste d'eux qu'une dentelle parfumée
Une coquille de dentelle qui a la forme parfaite d'un sein
Je ne touche plus que le cœur des choses je tiens le fil

SANS CONNAISSANCE

On n'a pas oublié
La singulière tentative d'enlèvement
Tiens une étoile pourtant il fait encore grand jour
De cette jeune fille de quatorze ans
Quatre de plus que de doigts
Qui regagnait en ascenseur
Je vois ses seins comme si elle était nue
On dirait des mouchoirs séchant sur un rosier
L'appartement de ses parents
Le père un piquet solidement enfoncé dans l'ombre la mère jolie pyramide d'abat-jour
Appartement situé au quatrième étage d'un immeuble de la rue Saint-Martin
Non loin de la Porte gardée par deux salamandres géantes
Sous laquelle je me tiens moi-même plusieurs heures par jour
Que je sois à Paris ou non
La belle Euphorbe appelons la jeune fille Euphorbe
S'inquiète de l'arrêt de l'ascenseur entre le deuxième et le troisième étage
A six heures du soir quand le quartier Saint-Martin commence à broyer de la craie du plantain du vitrail
Rester ainsi suspendue comme une aiguillette à une veste mexicaine
N'a rien de particulièrement réjouissant

Le palier du second à quelques pieds au-dessous d'Euphorbe charrie des planches claires l'anguille d'une rampe et quelques jolies herbes noires très longues
Qui ressemblent à un vêtement d'homme
La jeune fille surprise en pleine ascension se compare à un diabolo de plumes
Elle a les yeux plus verts que d'ordinaire n'est verte l'angélique
Et ces yeux plongent se brûlent à d'autres yeux sur lesquels glisse une flamme de bore
D'en bas les mollets d'Euphorbe luisent un peu de biais ce sont deux oiseaux sombres qui doivent être plus tièdes et plus doux que tous les autres
Les yeux de bore s'y fixent un instant puis le regard étincelant s'évase dans la robe
Très fine qui est de Paris
C'en est assez pour que ces deux êtres se soient compris
Ainsi dans une hutte par temps de pluie sous les tropiques l'énervement fait merveille
Les insectes à taille minuscule déployant de véritables drapeaux qui traînent partout dans les coins
Une porte qui glisse sur elle-même avec le bruit d'une ombrelle qu'on ferme
L'enfant est dans les bras de l'homme il sent frémir la chair au-dessus des jarrets sous la robe qui remonte un peu comme un fuchsia
L'escalier mal éclairé des ombres grandissent sur le mur de faux marbre chair
Ombres de chevaux lancés à toutes guides dans la tempête
Ombres de buissons qui courent à leur tour largement dépassés
Et surtout ombres de danseurs toujours le même couple sur une plaque tournante bordée de draps
Cet instant fait dérailler le train rond des pendules
La rue jette des éclairs Euphorbe sourit sournoisement entre la crainte et le plaisir

Je vois son cœur à cette minute il est distrait coupant il est le premier bourgeon qui saute d'un marronnier rose
Un mot et tout est sauvé
Un mot et tout est perdu
L'inconnu là la tentation comme nulle part ailleurs sous ce ciel à la paille de fer
Mais aussi la peur sous cette voûte affolante de pas qui vont et qui viennent
A faire un amas de plâtre de cette maison qui est bien loin
Un amas de plâtre dans un abri duquel on commencerait à s'aimer
La peur à oublier ses doigts dans un livre pour ne plus toucher
A fermer ses yeux dans le sillage du premier venu pour éperdument le fuir
Quelle seconde
On sait le reste
Pfuût houch le coup de revolver le sang qui saute lestement les marches vertes
Pas assez vite pour que l'homme
Son signalement 1 m. 65 la concierge n'a pas osé arrêter ce visiteur inhabituel mais poli
Il était d'autre part très bien de sa personne
Ne s'éloigne en allumant une cigarette
Plus douce que la douleur d'aimer et d'être aimé

DERNIÈRE LEVÉE

La lettre que j'attends voyage incognito dans une enveloppe
Que son timbre recouvre et au-delà
Ce timbre est oblitéré par le zodiaque
On a beaucoup de peine à déchiffrer mon nom dans sa dentelure
Quand elle me parviendra le soleil sera froid
Il y aura des épaves sur la place Blanche
Parmi lesquelles se distinguera mon courage
Pareil à un treuil d'écureuils
Je l'ouvrirai d'un coup de rame
Et je me mettrai à lire
Cela ne pourra manquer de provoquer un rassemblement
Mais je ne m'arrêterai pas
Les mots jamais entendus prendront le large
Ils seront de paille enflammée et luiront dans une cage d'amiante
Suspendue à l'arbre à devinettes
La lettre que j'attends sera de la couleur des voiliers éteints
Mais les nouvelles qu'elle m'apportera leurs formes de rosée
Je retrouverai dans ces formes tout ce que j'ai perdu
Ces lumières qui bercent les choses irréelles
Ces animaux dont les métamorphoses m'ont fait une raison
Ces pierres que je croyais lancées pour me dépister moi-même
Qu'elle est de petites dimensions cette lettre que j'attends
Pourvu qu'elle ne s'égare pas parmi les grains de poison

UNE BRANCHE D'ORTIE ENTRE PAR LA FENÊTRE

La femme au corps de papier peint
La tanche rouge des cheminées
Dont la mémoire est faite d'une multitude de petits abreuvoirs
Pour les navires au loin
Et qui rit comme un peu de braise qu'on aurait enchâssée dans la neige
Et qui se voit grandir et diminuer la nuit sur des pas d'accordéon
La cuirasse des herbes la poignée de la porte des poignards
Celle qui descend des paillettes du sphinx
Celle qui met des roulettes au fauteuil du Danube
Celle pour qui l'espace et le temps se déchirent le soir quand le veilleur de son œil vacille comme un elfe
N'est pas l'enjeu du combat que se livrent mes rêves
Oiseau cassant
Que la nature tend sur les fils télégraphiques des transes
Et qui chavire sur le grand lac de nombres de son chant
Elle est le double cœur de la muraille perdue
A laquelle s'agrippent les sauterelles du sang
Qui traînent mon apparence de miroir mes mains de faille
Mes yeux de chenilles mes cheveux de longues baleines noires
De baleines cachetées d'une cire étincelante et noire

LE GRAND SECOURS MEURTRIER

La statue de Lautréamont
Au socle de cachets de quinine
En rase campagne
L'auteur des Poésies est couché à plat ventre
Et près de lui veille l'héloderme suspect
Son oreille gauche appliquée au sol est une boîte vitrée
Occupée par un éclair l'artiste n'a pas oublié de faire figurer au-dessus de lui
Le ballon bleu ciel en forme de tête de Turc
Le cygne de Montevideo dont les ailes sont déployées et toujours prêtes à battre
Lorsqu'il s'agit d'attirer de l'horizon les autres cygnes
Ouvre sur le faux univers deux yeux de couleurs différentes
L'un de sulfate de fer sur la treille des cils l'autre de boue diamantée
Il voit le grand hexagone à entonnoir dans lequel se crisperont bientôt les machines
Que l'homme s'acharne à couvrir de pansements
Il ravive de sa bougie de radium les fonds du creuset humain
Le sexe de plumes le cerveau de papier huilé
Il préside aux cérémonies deux fois nocturnes qui ont pour but soustraction faite du feu d'intervertir les cœurs de l'homme et de l'oiseau
J'ai accès près de lui en qualité de convulsionnaire

Les femmes ravissantes qui m'introduisent dans le wagon capitonné de roses
Où un hamac qu'elles ont pris soin de me faire de leurs chevelures m'est réservé
De toute éternité
Me recommandent avant de partir de ne pas prendre froid dans la lecture du journal
Il paraît que la statue près de laquelle le chiendent de mes terminaisons nerveuses
Arrive à destination est accordée chaque nuit comme un piano

Violette Nozières

(1933)

Tous les rideaux du monde tirés sur tes yeux
Ils auront beau
Devant leur glace à perdre haleine
Tendre l'arc maudit de l'ascendance et de la descendance
Tu ne ressembles plus à personne de vivant ni de mort
Mythologique jusqu'au bout des ongles
Ta prison est la bouée à laquelle ils s'efforcent d'atteindre
dans leur sommeil
Tous y reviennent elle les brûle

Comme on remonte à la source d'un parfum dans la rue
Ils dévident en cachette ton itinéraire
La belle écolière du lycée Fénelon qui élevait des chauves-
souris dans son pupitre
Le perce-neige du tableau noir
Regagne le logis familial où s'ouvre
Une fenêtre morale dans la nuit
Les parents une fois de plus se saignent pour leur enfant
On a mis le couvert sur la table d'opération
Le brave homme est noir pour plus de vraisemblance
Mécanicien dit-on de trains présidentiels
Dans un pays de pannes où le chef suprême de l'État
Lorsqu'il ne voyage pas à pied de peur des bicyclettes

N'a rien de plus pressé que de tirer le signal d'alarme pour aller s'ébattre en chemise sur le talus
L'excellente femme a lu Corneille dans le livre de classe de sa fille
Femme française et l'a compris
Comme son appartement comprend un singulier cabinet de débarras
Où brille mystérieusement un linge
Elle n'est pas de celles qui glissent en riant vingt francs dans leur bas
Le billet de mille cousu dans l'ourlet de sa jupe
Lui assure une rigidité pré-cadavérique
Les voisins sont contents
Tout autour de la terre
Contents d'être les voisins

L'histoire dira
Que M. Nozières était un homme prévoyant
Non seulement parce qu'il avait économisé cent soixante-cinq mille francs
Mais surtout parce qu'il avait choisi pour sa fille un prénom dans la première partie duquel on peut démêler psychanalytiquement son programme
La bibliothèque de chevet je veux dire la table de nuit
N'a plus après cela qu'une valeur d'illustration

Mon père oublie quelquefois que je suis sa fille
L'éperdu
Ce qui tout à la fois craint et rêve de se trahir
Mots couverts comme une agonie sur la mousse
Celui qui dit les avoir entendus de ta bouche brave tout ce qui vaut la peine d'être bravé
Cette sorte de courage est aujourd'hui le seul
Il nous dédommage à lui seul de cette ruée vers une tonnelle de capucines

Qui n'existe plus
Tonnelle belle comme un cratère

Mais quel secours
Un autre homme à qui tu faisais part de ta détresse
Dans un lit un homme qui t'avait demandé le plaisir
Le don toujours incomparable de la jeunesse
Il a reçu ta confidence parmi tes caresses
Fallait-il que ce passant fût obscur
Vers toi n'a su faire voler qu'une gifle dans la nuit blanche

Ce que tu fuyais
Tu ne pouvais le perdre que dans les bras du hasard
Qui rend si flottantes les fins d'après-midi de Paris autour des femmes aux yeux de cristal fou
Livrées au grand désir anonyme
Auquel fait merveilleusement uniquement
Silencieusement écho
Pour nous le nom que ton père t'a donné et ravi

On glisse où s'est posé ton haut talon de sucre

Tout est égal qu'ils fassent et non semblant de ne pas en convenir
Devant ton sexe ailé comme une fleur des Catacombes
Étudiants vieillards journalistes pourris faux révolutionnaires prêtres juges
Avocats branlants
Ils savent bien que toute hiérarchie finit là

Pourtant un jeune homme t'attendait énigmatique à une terrasse de café

Ce jeune homme qui au Quartier latin vendait paraît-il entretemps *L'Action française*
Cesse d'être mon ennemi puisque tu l'aimais
Vous auriez pu vivre ensemble bien qu'il soit si difficile de vivre avec son amour
Il t'écrivait en partant *Vilaine chérie*
C'est encore joli
Jusqu'à plus ample informé l'argent enfantin n'est que l'écume de la vague

Longtemps après la cavalerie et la chevalerie des chiens
Violette
La rencontre ne sera plus poétiquement qu'une femme seule dans les bosquets introuvables du Champ-de-Mars
Assise les jambes en X sur une chaise jaune

L'air de l'eau

(1934)

Monde dans un baiser
Le joueur à baguettes de coudrier cousues sur les manches
Apaise un essaim de jeunes singes-lions
Descendus à grand fracas de la corniche
Tout devient opaque je vois passer le carrosse de la nuit
Traîné par les axolotls à souliers bleus
Entrée scintillante de la voie de fait qui mène au tombeau
Pavé de paupières avec leurs cils
La loi du talion use un peuple d'étoiles
Et tu te diapres pour moi d'une rosée noire
Tandis que les effrayantes bornes mentales
A cheveux de vigne
Se fendent dans le sens de la longueur
Livrant passage à des aigrettes
Qui regagnent le lac voisin
Les barreaux du spectacle sont merveilleusement tordus
Un long fuseau d'air atteste seul la fuite de l'homme
Au petit matin dans les luzernes illustres
L'heure
N'est plus que ce que sonnent les pièces d'or de la bohémienne
Aux volants de coréopsis
Une écuyère debout sur un cheval au galop pommelé de boules d'orage

De loin les bras sont toujours en extension latérale
Le losange poudreux du dessous me rappelle
La tente décorée de bisons bleus
Par les Indiens de l'oreiller
Dehors l'air essaye les gants de gui
Sur un comptoir d'eau pure
Monde dans un baiser monde
A moi les écailles
Les écailles de la grande tortue céleste à ventre d'hydrophile
Qui se bat chaque nuit dans l'amour
Avec la grande tortue noire le gigantesque scolopendre de racines

Le poisson-télescope casse des pierres au fond des livres
Et le plaisir roule ces pierres
Comme vont à dos d'âne de très jeunes filles d'autrefois
En robes d'acacia
Le temps est si clair que je tremble qu'il ne finisse
Un coup de vent sur tes yeux et je ne te verrais plus
Déjà tous les récifs ont pris le large
Les derniers réverbères de paille reculent devant les éteigneurs
Auxquels des papillons blancs font un casque de scaphandriers
Ils ne se risqueront pas dans la ville aux grands chardons
Où souffle un vent blond à décorner les lucanes
J'habite au cœur d'un de ces chardons
Où tes cheveux sont des poignées de portes sous-marines
Des anses à saisir les trésors
Nous pouvons aller et venir dans les pièces frissonnantes
Sans crainte errer dans la forêt de jets d'eau
Nous perdre dans l'immense spath d'Islande
Ta chair arrosée de l'envol de mille oiseaux de paradis
Est une haute flamme couchée dans la neige
La neige de t'avoir trouvée
La descente de lit de loup blanc à perte de vue

Je rêve je te vois superposée indéfiniment à toi-même
Tu es assise sur le haut tabouret de corail
Devant ton miroir toujours à son premier quartier
Deux doigts sur l'aile d'eau du peigne
Et en même temps
Tu reviens de voyage tu t'attardes la dernière dans la grotte
Ruisselante d'éclairs
Tu ne me reconnais pas
Tu es étendue sur le lit tu t'éveilles ou tu t'endors
Tu t'éveilles où tu t'es endormie ou ailleurs
Tu es nue la balle de sureau rebondit encore
Mille balles de sureau bourdonnent au-dessus de toi
Si légères qu'à chaque instant ignorées de toi
Ton souffle ton sang sauvés de la folle jonglerie de l'air
Tu traverses la rue les voitures lancées sur toi ne sont plus
  que leur ombre
Et la même
Enfant
Prise dans un soufflet de paillettes
Tu sautes à la corde
Assez longtemps pour qu'apparaisse au haut de l'escalier
  invisible
Le seul papillon vert qui hante les sommets de l'Asie
Je caresse tout ce qui fut toi
Dans tout ce qui doit l'être encore

J'écoute siffler mélodieusement
Tes bras innombrables
Serpent unique dans tous les arbres
Tes bras au centre desquels tourne le cristal de la rose des vents
Ma fontaine vivante de Sivas

L'aigle sexuel exulte il va dorer la terre encore une fois
Son aile descendante
Son aile ascendante agite imperceptiblement les manches de la menthe poivrée
Et tout l'adorable déshabillé de l'eau
Les jours sont comptés si clairement
Que le miroir a fait place à une nuée de frondes
Je ne vois du ciel qu'une étoile
Il n'y a plus autour de nous que le lait décrivant son ellipse vertigineuse
D'où la molle intuition aux paupières d'agate œillée
Se soulève parfois pour piquer la pointe de son ombrelle dans la boue de la lumière électrique
Alors des étendues jettent l'ancre se déploient au fond de mon œil fermé
Icebergs rayonnant des coutumes de tous les mondes à venir
Nés d'une parcelle de toi d'une parcelle inconnue et glacée qui s'envole
Ton existence le bouquet géant qui s'échappe de mes bras
Est mal liée elle creuse les murs déroule les escaliers des maisons
Elle s'effeuille dans les vitrines de la rue
Aux nouvelles je pars sans cesse aux nouvelles
Le journal est aujourd'hui de verre et si les lettres n'arrivent plus

C'est parce que le train a été mangé
La grande incision de l'émeraude qui donna naissance au feuillage
Est cicatrisée pour toujours les scieries de neige aveuglante
Et les carrières de chair bourdonnent seules au premier rayon
Renversé dans ce rayon
Je prends l'empreinte de la mort et de la vie
A l'air liquide

Le marquis de Sade a regagné l'intérieur du volcan en éruption
D'où il était venu
Avec ses belles mains encore frangées
Ses yeux de jeune fille
Et cette raison à fleur de sauve-qui-peut qui ne fut
Qu'à lui
Mais du salon phosphorescent à lampes de viscères
Il n'a cessé de jeter les ordres mystérieux
Qui ouvrent une brèche dans la nuit morale
C'est par cette brèche que je vois
Les grandes ombres craquantes la vieille écorce minée
Se dissoudre
Pour me permettre de t'aimer
Comme le premier homme aima la première femme
En toute liberté
Cette liberté
Pour laquelle le feu même s'est fait homme
Pour laquelle le marquis de Sade défia les siècles de ses grands arbres abstraits
D'acrobates tragiques
Cramponnés au fil de la Vierge du désir

J'ai devant moi la fée du sel
Dont la robe brodée d'agneaux
Descend jusqu'à la mer
Et dont le voile de chute en chute irise toute la montagne
Elle brille au soleil comme un lustre d'eau vive
Et les petits potiers de la nuit se sont servis de ses ongles sans lune
Pour compléter le service à café de la belladone
Le temps se brouille miraculeusement derrière ses souliers d'étoiles de neige
Tout le long d'une trace qui se perd dans les caresses de deux hermines
Les dangers rétrospectifs ont beau être richement répartis
Des charbons mal éteints au prunellier des haies par le serpent corail qui peut passer pour un très mince filet de sang coagulé
Le fond de l'âtre
Est toujours aussi splendidement noir
Le fond de l'âtre où j'ai appris à voir
Et sur lequel danse sans interruption la crêpe à dos de primevères
La crêpe qu'il faut lancer si haut pour la dorer
Celle dont je retrouve le goût perdu
Dans ses cheveux
La crêpe magique le sceau aérien
De notre amour

Au beau demi-jour de 1934
L'air était une splendide rose couleur de rouget
Et la forêt quand je me préparais à y entrer
Commençait par un arbre à feuilles de papier à cigarettes
Parce que je t'attendais
Et que si tu te promènes avec moi
N'importe où
Ta bouche est volontiers la nielle
D'où repart sans cesse la roue bleue diffuse et brisée qui monte
Blêmir dans l'ornière
Tous les prestiges se hâtaient à ma rencontre
Un écureuil était venu appliquer son ventre blanc sur mon cœur
Je ne sais comment il se tenait
Mais la terre était pleine de reflets plus profonds que ceux de l'eau
Comme si le métal eût enfin secoué sa coque de l'eau
Et toi couchée sur l'effroyable mer de pierreries
Tu tournais
Nue
Dans un grand soleil de feu d'artifice
Je te voyais descendre lentement des radiolaires
Les coquilles même de l'oursin j'y étais

Pardon je n'y étais déjà plus
J'avais levé la tête car le vivant écrin de velours blanc m'avait quitté
Et j'étais triste
Le ciel entre les feuilles luisait hagard et dur comme une libellule
J'allais fermer les yeux
Quand les deux pans du bois qui s'étaient brusquement écartés s'abattirent
Sans bruit
Comme les deux feuilles centrales d'un muguet immense
D'une fleur capable de contenir toute la nuit
J'étais où tu me vois
Dans le parfum sonné à toute volée
Avant qu'elles ne revinssent comme chaque jour à la vie changeante
J'eus le temps de poser mes lèvres
Sur tes cuisses de verre

Yeux zinzolins de la petite Babylonienne trop blanche
Au nombril sertissant une pierre de même couleur
Quand s'ouvre comme une croisée sur un jardin nocturne
La main de Jacqueline X
Que vous êtes pernicieux au fond de cette main
Yeux d'outre-temps à jamais humides
Fleur qui pourriez vous appeler la réticence du prophète
C'en est fait du présent du passé de l'avenir
Je chante la lumière unique de la coïncidence
La joie de m'être penché sur la grande rosace du glacier supérieur
Les infiltrations merveilleuses dont on s'aperçoit un beau jour qu'elles ont fait un cornet du plancher
La portée des incidents étranges mais insignifiants à première vue
Et leur don d'appropriation finale vertigineuse à moi-même
Je chante votre horizon fatal
Vous qui clignez imperceptiblement dans la main de mon amour
Entre le rideau de vie
Et le rideau de cœur
Yeux zinzolins
Y Z
De l'alphabet secret de la toute-nécessité

Il allait être cinq heures du matin
La barque de buée tendait sa chaîne à faire éclater les vitres
Et dehors
Un ver luisant
Soulevait comme une feuille Paris
Ce n'était qu'un cri tremblant continu
Un cri parti de l'hospice de la Maternité tout proche
FINIS FONDEUR FOU
Mais tout ce qui passait de joie dans l'exhalaison de cette douleur
Il me semble que j'étais tombé longtemps
J'avais encore la main crispée sur une poignée d'herbes
Et soudain ce froissement de fleurs et d'aiguilles de glace
Ces sourcils verts ce balancier d'étoile filante
De quelles profondeurs pouvait bien remonter la cloche
Hermétique
Dont rien la veille encore ne me faisait prévoir l'arrêt à ce palier
La cloche aux parois de laquelle
Ondine
Tout en agitant pour t'élever la pédale du sagittaire en fer de lance
Tu avais gravé les signes infaillibles
De mon enchantement

Au moyen d'un poignard dont le manche de corail bifurque
à l'infini
Pour que ton sang et le mien
N'en fassent qu'un

Ils vont tes membres déployant autour de toi des draps verts
Et le monde extérieur
En pointillé
Ne joue plus les prairies ont déteint les jours des clochers se rejoignent
Et le puzzle social
A livré sa dernière combinaison
Ce matin encore ces draps se sont levés ont fait voile avec toi d'un lit prismatique
Dans le château brouillé du saule aux yeux de lama
Pour lequel la tête en bas
Je suis parti jadis
Draps amande de ma vie
Quand tu marches le cuivre de Vénus
Innerve la feuille glissante et sans bords
Ta grande aile liquide
Bat dans le chant des vitriers

Et mouvement encore
Mouvement rythmé par le pilage de coquilles d'huître et d'étoiles rousses
Dans les tapas des îles heureuses
Je pense à un très ancien livre de voyages
Où l'on conte qu'un marin abandonné dans l'une de ces îles
S'était épris si éperdument d'une indigène
Et s'en était fait si éperdument aimer
Qu'ils parvenaient à échanger sur toutes choses des impressions parfois très subtiles
Au moyen d'un langage unique de caresses
Lorsque je te vois je retrouve en moi cet homme qui avait oublié trop volontiers la parole
Et je souris lorsqu'un ami me reproche non sans raison
De ne pas avoir en général
Montré assez de défiance à l'égard de cette obsession poétique
Il dit même de cette fausse intuition tyrannique
Que serait la nostalgie de l'âge d'or
Mais les événements modernes ne sont pas forcément dépouillés de tout sens originel et final
Et la rencontre
Élective vraiment comme elle peut être
De l'homme et de la femme
Toi que je découvre et qui restes pour moi toujours à découvrir

Les premiers navigateurs à la recherche moins des pays
Que de leur propre cause
Voguent éternellement dans la voix des sirènes
Cette rencontre
Avec tout ce qu'elle comporte à distance de fatal
Cette précipitation l'un vers l'autre de deux systèmes tenus séparément pour subjectifs
Met en branle une série de phénomènes très réels
Qui concourent à la formation d'un monde distinct
De nature à faire honte à ce que nous apercevrions
A son défaut
De celui-ci
La barbarie des civilisations n'y peut rien
Je lisais tout à l'heure dans l'Humanité
Qu'en Oïrotie
Dans une contrée où toutes les jolies filles il y a vingt ans
Étaient vendues aux beys
La femme ayant acquis maintenant le droit de disposer d'elle-même
On avait pu voir
Un jeune homme apporter à une jeune fille un petit bouquet

A ta place je me méfierais du chevalier de paille
Cette espèce de Roger délivrant Angélique
Leitmotiv ici des bouches de métro
Disposées en enfilade dans tes cheveux
C'est une charmante hallucination lilliputienne
Mais le chevalier de paille le chevalier de paille
Te prend en croupe et vous vous jetez dans la haute allée de peupliers
Dont les premières feuilles perdues beurrent les roses morceaux de pain de l'air
J'adore ces feuilles à l'égal
De ce qu'il y a de suprêmement indépendant en toi
Leur pâle balance
A compter de violettes
Juste ce qu'il faut pour que transparaisse aux plus tendres plis de ton corps
Le message indéchiffrable capital
D'une bouteille qui a longtemps tenu la mer
Et je les adore quand elles se rassemblent comme un coq blanc
Furieux sur le perron du château de la violence
Dans la lumière devenue déchirante où il ne s'agit plus de vivre
Dans le taillis enchanté

Où le chasseur épaule un fusil à crosse de faisan
Ces feuilles qui sont la monnaie de Danaé
Lorsqu'il m'est donné de t'approcher à ne plus te voir
D'étreindre en toi ce lieu jaune ravagé
Le plus éclatant de ton œil
Où les arbres volent
Où les bâtiments commencent à être secoués d'une gaîté de
mauvais aloi
Où les jeux du cirque se poursuivent avec un luxe effréné
dans la rue
Survivre
Du plus loin deux ou trois silhouettes se détachent
Sur le groupe étroit bat le drapeau parlementaire

On me dit que là-bas les plages sont noires
De la lave allée à la mer
Et se déroulent au pied d'un immense pic fumant de neige
Sous un second soleil de serins sauvages
Quel est donc ce pays lointain
Qui semble tirer toute sa lumière de ta vie
Il tremble bien réel à la pointe de tes cils
Doux à ta carnation comme un linge immatériel
Frais sorti de la malle entrouverte des âges
Derrière toi
Lançant ses derniers feux sombres entre tes jambes
Le sol du paradis perdu
Glace de ténèbres miroir d'amour
Et plus bas vers tes bras qui s'ouvrent
A la preuve par le printemps
D'APRÈS
De l'inexistence du mal
Tout le pommier en fleur de la mer

Toujours pour la première fois
C'est à peine si je te connais de vue
Tu rentres à telle heure de la nuit dans une maison oblique à ma fenêtre
Maison tout imaginaire
C'est là que d'une seconde à l'autre
Dans le noir intact
Je m'attends à ce que se produise une fois de plus la déchirure fascinante
La déchirure unique
De la façade et de mon cœur
Plus je m'approche de toi
En réalité
Plus la clé chante à la porte de la chambre inconnue
Où tu m'apparais seule
Tu es d'abord tout entière fondue dans le brillant
L'angle fugitif d'un rideau
C'est un champ de jasmin que j'ai contemplé à l'aube sur une route des environs de Grasse
Avec ses cueilleuses en diagonale
Derrière elles l'aile sombre tombante des plants dégarnis
Devant elles l'équerre de l'éblouissant
Le rideau invisiblement soulevé
Rentrent en tumulte toutes les fleurs

C'est toi aux prises avec cette heure trop longue jamais assez
trouble jusqu'au sommeil
Toi comme si tu pouvais être
La même à cela près que je ne te rencontrerai peut-être jamais
Tu fais semblant de ne pas savoir que je t'observe
Merveilleusement je ne suis plus sûr que tu le sais
Ton désœuvrement m'emplit les yeux de larmes
Une nuée d'interprétations entoure chacun de tes gestes
C'est une chasse à la miellée
Il y a des rocking-chairs sur un pont il y a des branchages qui
risquent de t'égratigner dans la forêt
Il y a dans une vitrine rue Notre-Dame-de-Lorette
Deux belles jambes croisées prises dans de hauts bas
Qui s'évasent au centre d'un grand trèfle blanc
Il y a une échelle de soie déroulée sur le lierre
Il y a
Qu'à me pencher sur le précipice
De la fusion sans espoir de ta présence et de ton absence
J'ai trouvé le secret
De t'aimer
Toujours pour la première fois

1935-1940

MONDE

Dans le salon de madame des Ricochets
Les miroirs sont en grains de rosée pressés
La console est faite d'un bras dans du lierre
Et le tapis meurt comme les vagues
Dans le salon de madame des Ricochets
Le thé de lune est servi dans des œufs d'engoulevent
Les rideaux amorcent la fonte des neiges
Et le piano en perspective perdue sombre d'un seul bloc dans
  la nacre
Dans le salon de madame des Ricochets
Des lampes basses en dessous de feuilles de tremble
Lutinent la cheminée en écailles de pangolin
Quand madame des Ricochets sonne
Les portes se fendent pour livrer passage aux servantes en
  escarpolette

LE PUITS ENCHANTÉ

Du dehors l'air est à se refroidir
Le feu éteint sous la bouillotte bleue des bois

La nature crache dans sa petite boîte de nuit
Sa brosse sans épaisseur commence à faire luire les arêtes des buissons et des navires

La ville aux longues aiguillées de fulgores
Monte jusqu'à se perdre
Le long d'une rampe de chansons qui tourne en vrille dans les rues désertes

Quand les marelles abandonnées se retournent l'une après l'autre dans le ciel

Tout au fond de l'entonnoir
Dans les fougères foulées du regard
J'ai rendez-vous avec la dame du lac

Je sais qu'elle viendra
Comme si je m'étais endormi sous des fuchsias

C'est là
A la place de la suspension du dessous dans la maison des nuages

Une cage d'ascenseur aux parois de laquelle éclate par touffes du linge de femme
De plus en plus vert

A moi

A moi la fleur du grisou
Le ludion humain la roussette blanche
La grande devinette sacrée

Mieux qu'au fil de l'eau Ophélie au ballet des mouches de mai

Voici au reflet du fil à plomb celle qui est dans le secret des taupes

Je vois la semelle de poussière de diamant je vois le paon blanc qui fait la roue derrière l'écran de la cheminée

Les femmes qu'on dessine à l'envers sont les seules qu'on n'ait jamais vues

Son sourire est fait pour l'expiation des plongeurs de perles
Aux poumons changés en coraux

C'est Méduse casquée dont le buste pivote lentement dans la vitrine
De profil je caresse ses seins aux pointes ailées

Ma voix ne lui parviendrait pas ce sont deux mondes
Et même
Rien ne servirait de jeter dans sa tour une lettre toute ouverte aux angles de glu

On m'a passé les menottes étincelantes de Peter Ibbetson
Je suis un couvreur devenu fou
Qui arrache par plaques et finirai bien par jeter bas tout le toit de la maison
Pour mieux voir comme la trombe s'élève de la mer
Pour me mêler à la bataille de fleurs
Quand une cuisse déborde l'écrin et qu'entre en jeu la pédale du danger

La belle invention
Pour remplacer le coucou l'horloge à escarpolette
Qui marque le temps suspendu

Pendeloque du lustre central de la terre
Mon sablier de roses
Toi qui ne remonteras pas à la surface
Toi qui me regardes sans me voir dans les jardins de la provocation pure
Toi qui m'envoies un baiser de la portière d'un train qui fuit

COURS-LES TOUTES

A Benjamin Péret.

Au cœur du territoire indien d'Oklahoma
Un homme assis
dont l'œil est comme un chat qui tourne autour d'un pot
  de chiendent

Un homme cerné
Et par sa fenêtre
Le concile des divinités trompeuses inflexibles
Qui se lèvent chaque matin en plus grand nombre du brouil-
  lard
Fées fâchées
Vierges à l'espagnole inscrites dans un étroit triangle isocèle
Comètes fixes dont le vent décolore les cheveux

Le pétrole comme les cheveux d'Éléonore
Bouillonne au-dessus des continents

Et dans sa voix transparente
A perte de vue il y a des armées qui s'observent
Il y a des chants qui voyagent sous l'aile d'une lampe
Il y a aussi l'espoir d'aller si vite

Que dans tes yeux
Se mêlent au fil de la vitre les feuillages et les lumières

Au carrefour des routes nomades
Un homme
Autour de qui on a tracé un cercle
Comme autour d'une poule

Enseveli vivant dans le reflet des nappes bleues
Empilées à l'infini dans son armoire

Un homme à la tête cousue
Dans les bas du soleil couchant
Et dont les mains sont des poissons-coffres

Ce pays ressemble à une immense boîte de nuit
Avec ses femmes venues du bout du monde
Dont les épaules roulent les galets de toutes les mers
Les agences américaines n'ont pas oublié de pourvoir à ces
chefs indiens
Sur les terres desquels on a foré les puits
Et qui ne restent libres de se déplacer
Que dans les limites imposées par le traité de guerre

La richesse inutile
Les mille paupières de l'eau qui dort

Le curateur passe chaque mois
Il pose son gibus sur le lit recouvert d'un voile de flèches
Et de sa valise de phoque

Se répandent les derniers catalogues des manufactures
Ailés de la main qui les ouvrait et les fermait quand nous étions enfants

Une fois surtout une fois
C'était un catalogue d'automobiles
Présentant la voiture de mariée
Au spider qui s'étend sur une dizaine de mètres
Pour la traîne
La voiture de grand peintre
Taillée dans un prisme
La voiture de gouverneur
Pareille à un oursin dont chaque épine est un lance-flammes

Il y avait surtout
Une voiture noire rapide
Couronnée d'aigles de nacre
Et creusée sur toutes ses facettes de rinceaux de cheminées de salon
Comme par les vagues
Un carrosse ne pouvant être mu que par l'éclair
Comme celui dans lequel erre les yeux fermés la princesse Acanthe
Une brouette géante toute en limaces grises
Et en langues de feu comme celle qui apparaît aux heures fatales dans le jardin de la tour Saint-Jacques
Un poisson rapide pris dans une algue et multipliant les coups de queue

Une grande voiture d'apparat et de deuil
Pour la dernière promenade d'un saint empereur à venir
De fantaisie
Qui démoderait la vie entière

Le doigt a désigné sans hésitation l'image glacée
Et depuis lors
L'homme à la crête de triton
A son volant de perles
Chaque soir vient border le lit de la déesse du maïs

Je garde pour l'histoire poétique
Le nom de ce chef dépossédé qui est un peu le nôtre
De cet homme seul engagé dans le grand circuit
De cet homme superbement rouillé dans une machine neuve
Qui met le vent en berne

Il s'appelle
Il porte le nom flamboyant de Cours-les toutes
A la vie à la mort cours à la fois les deux lièvres
Cours ta chance qui est une volée de cloches de fête et d'alarme
Cours les créatures de tes rêves qui défaillent rouées à leurs jupons blancs
Cours la bague sans doigt
Cours la tête de l'avalanche

29 octobre 1938.

LA MAISON D'YVES

La maison d'Yves Tanguy
Où l'on n'entre que la nuit

Avec la lampe-tempête

Dehors le pays transparent
Un devin dans son élément

Avec la lampe-tempête
Avec la scierie si laborieuse qu'on ne la voit plus

Et la toile de Jouy du ciel
— Vous, chassez le surnaturel
Avec la lampe-tempête
Avec la scierie si laborieuse qu'on ne la voit plus
Avec toutes les étoiles de sacrebleu

Elle est de lassos, de jambages
Couleur d'écrevisse à la nage

Avec la lampe-tempête
Avec la scierie si laborieuse qu'on ne la voit plus
Avec toutes les étoiles de sacrebleu
Avec les tramways en tous sens ramenés à leurs seules antennes

L'espace lié, le temps réduit.
Ariane dans sa chambre-étui

Avec la lampe-tempête
Avec la scierie si laborieuse qu'on ne la voit plus
Avec toutes les étoiles de sacrebleu
Avec les tramways en tous sens ramenés à leurs seules antennes
Avec la crinière sans fin de l'argonaute

Le service est fait par des sphinges
Qui se couvrent les yeux de linges
Avec la lampe-tempête
Avec la scierie si laborieuse qu'on ne la voit plus
Avec toutes les étoiles de sacrebleu
Avec les tramways en tous sens ramenés à leurs seules antennes
Avec la crinière sans fin de l'argonaute
Avec le mobilier fulgurant du désert

On y meurtrit on y guérit
On y complote sans abri

Avec la lampe-tempête
Avec la scierie si laborieuse qu'on ne la voit plus
Avec toutes les étoiles de sacrebleu
Avec les tramways en tous sens ramenés à leurs seules antennes

Avec la crinière sans fin de l'argonaute
Avec le mobilier fulgurant du désert
Avec les signes qu'échangent de loin les amoureux

C'est la maison d'Yves Tanguy

QUELS APPRÊTS

Les armoires bombées de la campagne
Glissent silencieusement sur les rails de lait
C'est l'heure où les filles soulevées par le flot de la nuit qui roule des carlines
Se raidissent contre la morsure de l'hermine
Dont le cri
Va mouler les pointes de leur gorge

Les événements d'un autre ordre sont absolument dépourvus d'intérêt
Ne me parlez pas de ce papier mural à décor de ronces
Qui n'a rien de plus pressé
Que de se lacérer lui-même

Les flammes noires luttent dans la grille avec des langues d'herbe
Un galop lointain
C'est la charge souterraine sonnée dans le bois de violette et dans le buis
Toute la chambre se renverse

Le splendide alignement des mesures d'étain s'épuise en une seule qui par surcroît est le vin gris
La cuisse toujours trop dépêchée sur le tableau de craie dans la tourmente de jour

Les gisements d'hommes les lacs de murmures
La pensée tirant sur son collier de vieilles niches
Qu'on me laisse une fois pour toutes avec cela

Les diables-mouches voient dans ces ongles
Les pépins du quartier de pomme de la rosée
Ramené du fond de la vie
Le corps tout en poissons surgit du filet ruisselant
Dans la brousse
De l'air autour du lit
L'argus de la dérive chère les yeux fixes mi-ouverts mi-clos

Poitiers, 9 mai 1940.

Pleine marge

(1940)

A Pierre Mabille.

Je ne suis pas pour les adeptes
Je n'ai jamais habité au lieudit La Grenouillère
La lampe de mon cœur file et bientôt hoquète à l'approche
des parvis

Je n'ai jamais été porté que vers ce qui ne se tenait pas à carreau
Un arbre élu par l'orage
Le bateau de lueurs ramené par un mousse
L'édifice au seul regard sans clignement du lézard et mille
frondaisons

Je n'ai vu à l'exclusion des autres que des femmes qui avaient
maille à partir avec leur temps
Ou bien elles montaient vers moi soulevées par les vapeurs
d'un abîme

Ou encore absentes il y a moins d'une seconde elles me précédaient du pas de la Joueuse de tympanon
Dans la rue au moindre vent où leurs cheveux portaient la
torche

Entre toutes cette reine de Byzance aux yeux passant de si loin l'outre-mer
Que je ne me retrouve jamais dans le quartier des Halles où elle m'apparut
Sans qu'elle se multiplie à perte de vue dans les glaces des voitures des marchandes de violettes

Entre toutes l'enfant des cavernes son étreinte prolongeant de toute la vie la nuit esquimau
Quand déjà le petit jour hors d'haleine grave son renne sur la vitre

Entre toutes la religieuse aux lèvres de capucine
Dans le car de Crozon à Quimper
Le bruit de ses cils dérange la mésange charbonnière
Et le livre à fermoir va glisser de ses jambes croisées

Entre toutes l'ancienne petite gardienne ailée de la Porte
Par laquelle les conjectures se faufilent entre les pousse-pousse
Elle me montre alignées des caisses aux inscriptions idéographiques le long de la Seine
Elle est debout sur l'œuf brisé du lotus contre mon oreille

Entre toutes celle qui me sourit du fond de l'étang de Berre
Quand d'un pont des Martigues il lui arrive de suivre appuyée contre moi la lente procession des lampes couchées
En robe de bal des méduses qui tournoient dans le lustre
Celle qui feint de ne pas être pour tout dans cette fête
D'ignorer ce que cet accompagnement repris chaque jour dans les deux sens a de votif

Entre toutes

Je reviens à mes loups à mes façons de sentir
Le vrai luxe
C'est que le divan capitonné de satin blanc
Porte l'étoile de la lacération

Il me faut ces gloires du soir frappant de biais votre bois de lauriers

Les coquillages géants des systèmes tout érigés qui se présentent en coupe irrégulière dans la campagne
Avec leurs escaliers de nacre et leurs reflets de vieux verres de lanternes
Ne me retiennent qu'en fonction de la part de vertige
Faite à l'homme qui pour ne rien laisser échapper de la grande rumeur
Parfois est allé jusqu'à briser le pédalier

Je prends mon bien dans les failles du roc là où la mer
Précipite ses globes de chevaux montés de chiens qui hurlent
Où la conscience n'est plus le pain dans son manteau de roi
Mais le baiser le seul qui se recharge de sa propre braise

Et même des êtres engagés dans une voie qui n'est pas la mienne
Qui est à s'y méprendre le contraire de la mienne
Elle s'ensable au départ dans la fable des origines
Mais le vent s'est levé tout à coup les rampes se sont mises à osciller grandement autour de leur pomme irisée
Et pour eux ç'a été l'univers défenestré
Sans plus prendre garde à ce qui ne devrait jamais finir
Le jour et la nuit échangeant leurs promesses
Ou les amants au défaut du temps retrouvant et perdant la bague de leur source

O grand mouvement sensible par quoi les autres parviennent à être les miens
Même ceux-là dans l'éclat de rire de la vie tout encadrés de bure
Ceux dont le regard fait un accroc rouge dans les buissons de mûres
M'entraînent m'entraînent où je ne sais pas aller
Les yeux bandés tu brûles tu t'éloignes tu t'éloignes
De quelque manière qu'ils aient frappé leur couvert est mis chez moi

Mon beau Pélage couronné de gui ta tête droite sur tous ces fronts courbés

Joachim de Flore mené par les anges terribles
Qui à certaines heures aujourd'hui rabattent encore leurs ailes sur les faubourgs
Où les cheminées fusent invitant à une résolution plus proche dans la tendresse
Que les roses constructions heptagonales de Giotto

Maître Eckhardt mon maître dans l'auberge de la raison
Où Hegel dit à Novalis Avec lui nous avons tout ce qu'il nous faut et ils partent
Avec eux et le vent j'ai tout ce qu'il me faut

Jansénius oui je vous attendais prince de la rigueur
Vous devez avoir froid
Le seul qui de son vivant réussit à n'être que son ombre
Et de sa poussière on vit monter menaçant toute la ville la fleur du spasme
Pâris le diacre

La belle la violée la soumise l'accablante La Cadière

Et vous messieurs Bonjour
Qui en assez grande pompe avez bel et bien crucifié deux
femmes je crois
Vous dont un vieux paysan de Fareins-en-Dôle
Chez lui entre les portraits de Marat et de la Mère Angélique
Me disait qu'en disparaissant vous avez laissé à ceux qui sont
venus et pourront venir
Des provisions pour longtemps

Salon-Martigues, septembre 1940.

Fata morgana

(1940)

FATA MORGANA

Ce matin la fille de la montagne tient sur ses genoux un accordéon de chauves-souris blanches
Un jour un nouveau jour cela me fait penser à un objet que je garde
Alignés en transparence dans un cadre des tubes en verre de toutes les couleurs de philtres de liqueurs
Qu'avant de me séduire il ait dû répondre peu importe à quelque nécessité de représentation commerciale
Pour moi nulle œuvre d'art ne vaut ce petit carré fait de l'herbe diaprée à perte de vue de la vie
Un jour un nouvel amour et je plains ceux pour qui l'amour perd à ne pas changer de visage
Comme si de l'étang sans lumière la carpe qui me tend à l'éveil une boucle de tes cheveux
N'avait plus de cent ans et ne me taisait tout ce que je dois pour rester moi-même ignorer
Un nouveau jour est-ce bien près de toi que j'ai dormi
J'ai donc dormi j'ai donc passé les gants de mousse
Dans l'angle je commence à voir briller la mauvaise commode qui s'appelle hier
Il y a de ces meubles embarrassants dont le véritable office est de cacher des issues
De l'autre côté qui sait la barque aimantée nous pourrions partir ensemble

A la rencontre de l'arbre sous l'écorce duquel il est dit
Ce qu'à nous seuls nous sommes l'un à l'autre dans la grande algèbre
Il y a de ces meubles plus lourds que s'ils étaient emplis de sable au fond de la mer
Contre eux il faudrait des mots-leviers
De ces mots échappés d'anciennes chansons qui vont au superbe paysage de grues
Très tard dans les ports parcourus en zigzag de bouquets de fièvre
Écoute

Je vois le lutin
Que d'un ongle tu mets en liberté
En ouvrant un paquet de cigarettes
Le héraut-mouche qui jette le sel de la mode
Si zélé à faire croire que tout ne doit pas être de toujours
Celui qui exulte à faire dire Allo je n'entends plus

Comme c'est joli qu'est-ce que ça rappelle

Si j'étais une ville dis-tu Tu serais Ninive sur le Tigre
Si j'étais un instrument de travail Plût au ciel noir tu serais la canne des cueilleurs dans les verreries
Si j'étais un symbole Tu serais une fougère dans une nasse
Et si j'avais un fardeau à porter Ce serait une boule faite de têtes d'hermines qui crient
Si je devais fuir la nuit sur une route Ce serait le sillage du géranium
Si je pouvais voir derrière moi sans me retourner Ce serait l'orgueil de la torpille

Comme c'est joli

En un rien de temps
Il faut convenir qu'on a vu s'évanouir dans un rêve
Les somptueuses robes en tulle pailleté des arroseuses municipales
Et même plier bagage sous le regard glacial de l'amiral Coligny
Le dernier vendeur de papier d'Arménie
De nos jours songe qu'une expédition se forme pour la capture de l'oiseau quetzal dont on ne possède plus en vie oui en vie que quatre exemplaires
Qu'on a vu tourner à blanc la roulette des marchands de plaisir

Qu'est-ce que ça rappelle

Dans les hôtels à plantes vertes c'est l'heure où les charnières des portes sans nombre
D'un coup d'archet s'apprêtent à séparer comme les oiseaux les chaussures les mieux accordées
Sur les paliers mordorés dans le moule à gaufre fracassé où se cristallise le bismuth
A la lumière des châteaux vitrifiés du mont Knock-Farril dans le comté de Ross
Un jour un nouveau jour cela me fait penser à un objet que garde mon ami Wolfgang Paalen
D'une corde déjà grise tous les modèles de nœuds réunis sur une planchette
Je ne sais pourquoi il déborde tant le souci didactique qui a présidé à sa construction sans doute pour une école de marins
Bien que l'ingéniosité de l'homme donne ici sa fleur que nimbe la nuée des petits singes aux yeux pensifs
En vérité aucune page des livres même virant au pain bis n'atteint à cette vertu conjuratoire rien ne m'est si propice
Un nouvel amour et que d'autres tant pis se bornent à adorer

La bête aux écailles de roses aux flancs creux dont j'ai trompé depuis longtemps la vigilance
Je commence à voir autour de moi dans la grotte
Le vent lucide m'apporte le parfum perdu de l'existence
Quitte enfin de ses limites
A cette profondeur je n'entends plus sonner que le patin
Dont parfois l'éclair livre toute une perspective d'armoires à glace écroulées avec leur linge
Parce que tu tiens
Dans mon être la place du diamant serti dans une vitre
Qui me détaillerait avec minutie le gréement des astres
Deux mains qui se cherchent c'est assez pour le toit de demain
Deux mains transparentes la tienne le murex dont les anciens ont tiré mon sang

Mais voici que la nappe ailée
S'approche encore léchée de la flamme des grands vins
Elle comble les arceaux d'air boit d'un trait les lacunes des feuilles
Et joue à se faire prendre en écharpe par l'aqueduc
Qui roule des pensées sauvages

Les bulles qui montent à la surface du café
Après le sucre le charmant usage populaire qui veut que les prélève la cuiller
Ce sont autant de baisers égarés
Avant qu'elles ne courent s'anéantir contre les bords
O tourbillon plus savant que la rose
Tourbillon qui emporte l'esprit qui me regagne à l'illusion enfantine
Que tout est là pour quelque chose qui me concerne

Qu'est-ce qui est écrit
Il y a ce qui est écrit sur nous et ce que nous écrivons

Où est la grille qui montrerait que si son tracé extérieur
Cesse d'être juxtaposable à son tracé intérieur
La main passe

Plus à portée de l'homme il est d'autres coïncidences
Véritables fanaux dans la nuit du sens
C'était plus qu'improbable c'est donc *exprès*
Mais les gens sont si bien en train de se noyer
Que ne leur demandez pas de saisir la perche

Le lit fonce sur ses rails de miel bleu
Libérant en transparence les animaux de la sculpture médiévale
Il incline prêt à verser au ras des talus de digitales
Et s'éclaire par intermittence d'yeux d'oiseaux de proie
Chargés de tout ce qui émane du gigantesque casque emplumé d'Otrante
Le lit fonce sur ses rails de miel bleu
Il lutte de vitesse avec les ciels changeants
Qui conviennent toujours ascension des piques de clôture des parcs
Et boucanage de plus belle succédant au lever de danseuses sur le comptoir
Le lit brûle les signaux il ne fait qu'un de tous les bocaux de poissons rouges
Il lutte de vitesse avec les ciels changeants
Rien de commun tu sais avec le petit chemin de fer
Qui se love à Cordoba du Mexique pour que nous ne nous lassions pas de découvrir
Les gardénias qui embaument dans de jeunes pousses de palmiers évidées
Ou ailleurs pour nous permettre de choisir
Du marchepied dans les lots d'opales et de turquoises brutes
Non le lit à folles aiguillées ne se borne pas à dérouler la soie des lieux et des jours incomparables

Il est le métier sur lequel se croisent les cycles et d'où sourd ce qu'on pressent sous le nom de musique des sphères
Le lit brûle les signaux il ne fait qu'un de tous les bocaux de poissons rouges
Et quand il va pour fouiller en sifflant le tunnel charnel
Les murs s'écartent la vieille poudre d'or à n'y plus voir se lève des registres d'état-civil
Enfin tout est repris par le mouvement de la mer
Non le lit à folles aiguillées ne se borne pas à dérouler la soie des lieux et des jours incomparables

C'est la pièce sans entractes le rideau levé une fois pour toutes sur la cascade
Dis-moi
Comment se défendre en voyage de l'arrière-pensée pernicieuse
Que l'on ne se rend pas où l'on voudrait
La petite place qui fuit entourée d'arbres qui diffèrent imperceptiblement de tous les autres
Existe pour que nous la traversions sous tel angle dans la vraie vie
Le ruisseau en cette boucle même comme en nulle autre de tous les ruisseaux
Est maître d'un secret qu'il ne peut faire nôtre à la volée
Derrière la fenêtre celle-ci faiblement lumineuse entre bien d'autres plus ou moins lumineuses
Ce qui *se passe*
Est de toute importance pour nous peut-être faudrait-il revenir
Avoir le courage de sonner
Qui dit qu'on ne nous accueillerait pas à bras ouverts
Mais rien n'est vérifié tous ont peur nous-mêmes
Avons presque aussi peur
Et pourtant je suis sûr qu'au fond du bois fermé à clé qui tourne en ce moment contre la vitre
S'ouvre la seule clairière

Est-ce là l'amour cette promesse qui nous dépasse
Ce billet d'aller et retour éternel établi sur le modèle de la phalène chinée
Est-ce l'amour ces doigts qui pressent la cosse du brouillard
Pour qu'en jaillissent les villes inconnues aux portes hélas éblouissantes
L'amour ces fils télégraphiques qui font de la lumière insatiable un brillant sans cesse qui se rouvre
De la taille même de notre compartiment de la nuit
Tu viens à moi de plus loin que l'ombre je ne dis pas dans l'espace des séquoias millénaires
Dans ta voix se font la courte échelle des trilles d'oiseaux perdus

Beaux dés pipés
Bonheur et malheur
Au bonneteau tous ces yeux écarquillés autour d'un parapluie ouvert
Quelle revanche le santon-puce de la bohémienne
Ma main se referme sur elle
Si j'échappais à mon destin

Il faut chasser le vieil aveugle des lichens du mur d'église
Détruire jusqu'au dernier les horribles petits folios déteints jaunes verts bleus roses
Ornés d'une fleur variable et exsangue
Qu'il vous invite à détacher de sa poitrine
Un à un contre quelques sous

Mais toujours force reste
Au langage ancien les simples la marmite
Une chevelure qui vient au feu
Et quoi qu'on fasse jamais lapé au cœur de toute lumière
Le drapeau des pirates

Un homme grand engagé sur un chemin périlleux
Il ne s'est pas contenté de passer sous un bleu d'ouvrier les brassards à pointes acérées d'un criminel célèbre
A sa droite le lion dans sa main l'oursin
Se dirige vers l'est
Où déjà le tétras gonfle de vapeur et de bruit sourd les airelles
Voilà qu'il tente de franchir le torrent les pierres qui sont des lueurs d'épaules de femmes au théâtre
Pivotent en vain très lentement
J'avais cessé de le voir il reparaît un peu plus bas sur l'autre berge
Il s'assure qu'il est toujours porteur de l'oursin
A sa droite le lion all right
Le sol qu'il effleure à peine crépite de débris de faulx

En même temps cet homme descend précipitamment un escalier au cœur d'une ville il a déposé sa cuirasse
Au-dehors on se bat contre ce qui ne peut plus durer
Cet homme parmi tant d'autres brusquement semblables
Qu'est-il donc que se sent-il donc de plus que lui-même
Pour que ce qui ne peut plus
durer ne dure plus
Il est tout prêt à ne plus durer lui-même
Un pour tous advienne que pourra
Ou la vie serait la goutte de poison
Du non-sens introduite dans le chant de l'alouette au-dessus des coquelicots
La rafale passe

En même temps
Cet homme qui relevait des casiers autour du phare
Hésite à rentrer il soulève avec précaution des algues et des algues
Le vent est tombé ainsi soit-il
Et encore des algues qu'il repose
Comme s'il lui était interdit de découvrir dans son ensemble le jeune corps de femme le plus secret

D'où part une construction ailée
Ici le temps se brouille à la fois et s'éclaire
Du trapèze tout en cigales
Mystérieusement une très petite fille interroge
André tu ne sais pas pourquoi je résédise
Et aussitôt une pyramide s'élance au loin
A la vie à la mort ce qui commence me précède et m'achève
Une fine pyramide à jour de pierre dure
Reliée à ce beau corps par des lacets vermeils

De la brune à la blonde
Entre le chaume et la couche de terreau
Il y a place pour mille et une cloches de verre
Sous lesquelles revivent sans fin les têtes qui m'enchantent
Dans la suspension du sacre
Têtes de femmes qui se succèdent sur tes épaules quand tu dors
Il en est de si lointaines
Têtes d'hommes aussi
Innombrables à commencer par ces chefs d'empereurs à la barbe glissante
Le maraîcher va et vient sous sa housse
Il embrasse d'un coup d'œil tous les plateaux montés cette nuit du centre de la terre
Un nouveau jour c'est lui et tous ces êtres
Aisément reconnaissables dans les vapeurs de la campagne
C'est toi c'est moi à tâtons sous l'éternel déguisement

Dans les entrelacs de l'histoire momie d'ibis
Un pas pour rien comme on cargue la voilure momie d'ibis
Ce qui sort du côté cour rentre par le côté jardin momie d'ibis
Si le développement de l'enfant permet qu'il se libère du fantasme de démembrement de dislocation du corps momie d'ibis
Il ne sera jamais trop tard pour en finir avec le morcelage de l'âme momie d'ibis

Et par toi seule sous toutes ses facettes de momie d'ibis
Avec tout ce qui n'est plus ou attend d'être je retrouve l'unité perdue momie d'ibis
Momie d'ibis du non-choix à travers ce qui me parvient
Momie d'ibis qui veut que tout ce que je puis savoir contribue à moi sans distinction
Momie d'ibis qui me fait l'égal tributaire du mal et du bien
Momie d'ibis du sort goutte à goutte où l'homéopathie dit son grand mot
Momie d'ibis de la quantité se muant dans l'ombre en qualité
Momie d'ibis de la combustion qui laisse en toute cendre un point rouge
Momie d'ibis de la perfection qui appelle la fusion incessante des créatures imparfaites
La gangue des statues ne me dérobe de moi-même que ce qui n'est pas le produit aussi précieux de la semence des gibets momie d'ibis
Je suis Nietzsche commençant à comprendre qu'il est à la fois Victor-Emmanuel et deux assassins des journaux Astu momie d'ibis
C'est à moi seul que je dois tout ce qui s'est écrit pensé chanté momie d'ibis
Et sans partage toutes les femmes de ce monde je les ai aimées momie d'ibis
Je les ai aimées pour t'aimer mon unique amour momie d'ibis
Dans le vent du calendrier dont les feuilles s'envolent momie d'ibis
En vue de ce reposoir dans le bois momie d'ibis sur le parcours du lactaire délicieux

Ouf le basilic est passé tout près sans me voir
Qu'il revienne je tiens braqué sur lui le miroir
Où est faite pour se consommer la jouissance humaine imprescriptible

Dans une convulsion que termine un éclaboussement de plumes dorées
Il faudrait marquer ici de sanglots non seulement les attitudes du buste
Mais encore les effacements et les oppositions de la tête
Le problème reste plus ou moins posé en chorégraphie
Où non plus je ne sache pas qu'on ait trouvé de mesure pour l'éperdu
Quand la coupe ce sont précisément les lèvres
Dans cette accélération où défilent
Sous réserve de contrôle
Au moment où l'on se noie les menus faits de la vie
Mais les cabinets d'antiques abondent en pierres d'Abraxas
Trois cent soixante-cinq fois plus méchantes que le jour solaire
Et l'œuf religieux du coq
Continue à être couvé religieusement par le crapaud

Du vieux balcon qui ne tient plus que par un fil de lierre
Il arrive que le regard errant sur les dormantes eaux du fossé circulaire
Surprenne en train de se jouer le progrès hermétique
Tout de feinte et dont on ne saurait assez redouter
La séduction infinie
A l'en croire rien ne manque qui ne soit donné en puissance et c'est vrai ou presque
La belle lumière électrique pourvu que cela ne te la fane pas de penser qu'un jour elle paraîtra jaune
De haute lutte la souffrance a bien été chassée de quelques-uns de ses fiefs
Et les distances peuvent continuer à fondre
Certains vont même jusqu'à soutenir qu'il n'est pas impossible que l'homme
Cesse de dévorer l'homme bien qu'on n'avance guère de ce côté
Cependant cette suite de prestiges je prendrai garde comme une toile d'araignée étincelante

Qu'elle ne s'accroche à mon chapeau
Tout ce qui vient à souhait est à double face et fallacieux
Le meilleur à nouveau s'équilibre de pire
Sous le bandeau de fusées
Il n'est que de fermer les yeux
Pour retrouver la table du permanent

Ceci dit la représentation continue
Eu égard ou non à l'actualité
L'action se passe dans le voile du hennin d'Isabeau de Bavière
Toutes dentelles et moires
Aussi fluides que l'eau qui fait la roue au soleil sur les glaces des fleuristes d'aujourd'hui
Le cerf blanc à reflets d'or sort du bois du Châtelet
Premier plan de ses yeux qui expriment le rêve des chants d'oiseaux du soir
Dans l'obliquité du dernier rayon le sens d'une révélation mystérieuse
Que sais-je encore et qu'on sait capables de pleurer
Le cerf ailé frémit il fond sur l'aigle avec l'épée
Mais l'aigle est partout

sus à lui

il y a eu l'avertissement

De cet homme dont les chroniqueurs s'obstinent à rapporter dans une intention qui leur échappe
Qu'il était vêtu de blanc de cet homme bien entendu qu'on ne retrouvera pas
Puis la chute d'une lance contre un casque ici le musicien a fait merveille
C'est toute la raison qui s'en va quand l'heure pourrait être frappée sans que tu y sois

Dans les ombres du décor le peuple est admis à contempler les grands festins

On aime toujours beaucoup voir manger sur la scène
De l'intérieur du pâté couronné de faisans
Des nains d'un côté noirs de l'autre arc-en-ciel soulèvent le
couvercle
Pour se répandre dans un harnachement de grelots et de rires
Éclat *contrasté* de traces de coups de feu de la croûte qui tourne
Enchaîné sur le bal des Ardents *rappel en trouble* de l'épisode qui
suit de près celui du cerf
Un homme peut-être trop habile descend du haut des tours
de Notre-Dame
En voltigeant sur une corde tendue
Son balancier de flambeaux leur lueur insolite au grand jour
Le buisson des cinq sauvages dont quatre captifs l'un de
l'autre le soleil de plumes
Le duc d'Orléans prend la torche la main la mauvaise main
Et quelque temps après à huit heures du soir la main
On s'est toujours souvenu qu'elle jouait avec le gant
La main le gant une fois deux fois *trois fois*
Dans l'angle sur le fond du palais le plus blanc les beaux
traits ambigus de Pierre de Lune à cheval
Personnifiant le second luminaire
Finir sur l'emblème de la reine en pleurs
Un souci Plus ne m'est rien rien ne m'est plus
Oui sans toi

Le soleil

Marseille, décembre 1940.

1940-1943

FROLEUSE

Mes malles n'ont plus de poids les étiquettes sont des lueurs courant sur une mare
Sera-ce assez que tout pour cette contrée où mène bien après sa mise au rebut la diligence de nuit
Toute en cristal noir le long des meules tournant de cailles
Château qui tremble et j'en jure que vient de poser devant moi un éclair
Lieu frustré de tout ce qui pourrait le rendre habitable
Je ne vois qu'étroits couloirs enchevêtrés
Escaliers à vis
Seulement au haut de la tour de guet
Éclate l'air taillé en rose
Bannie superstitieusement la place primitive d'une brassée de joncs pour s'étendre
L'architecte fou de ce qui restait d'espace libre
Semble avoir rêvé un garage pour mille tables rondes
A chacune d'elles sont présumés souper au caviar au champagne
Avec moi des bustes de cire plus beaux les uns que les autres mais parmi eux méconnaissable s'est glissé un buste vivant
Bustes car il n'y a qu'une nappe à reflets changeants pour toutes les tables
Assez lacunaire pour emprisonner la taille de toutes ces femmes fausses et vraies

Tout ce qui est ou manque d'être au-dessous de la nappe se dérobe dans la musique
Oracle attendu de la navette d'un soulier
Plus brillant qu'un poisson jeté dans l'herbe
Ou d'un mollet qui fait un bouquet des lampes de mineur
Ou du genou qui lance un volant dans mon cœur
Ou d'une bouche qui penche qui penche à verser son parfum
Ou d'une main d'abord un peu en marche à l'instant même où il apparaît qu'elle n'évite pas un rapport d'ailes avec ma main
O ménisques
Au-delà de tous les présents permis et défendus
A dos d'éléphants ces piliers qui s'amincissent jusqu'au fil de soie dans les grottes
Ménisques adorable rideau de tangence quand la vie n'est plus qu'une aigrette qui boit
Et dis-toi qu'aussi bien je ne te verrai plus

PASSAGE A NIVEAU

D'un coup de baguette ç'avaient été les fleurs
Et le sang
Le rayon se posa sur la fenêtre gelée
Personne
Pfff on comprit que l'espace se débondait
Puis l'oreiller d'air s'est glissé sous le sainfoin
Les avalanches ont dressé la tête
Et à l'intérieur des pierres des épaules se sont soulevées
Les yeux étaient encore fermés dans l'eau méfiante
Des profondeurs montait la triple collerette
Qui allait faire l'orgueil de l'armoire
Et la chanson des cigales prenait son billet
A la gare encore enveloppée de tous ses fils
La femme mordait une pomme de vapeur
Sur les genoux d'une grande bête blanche
Dans les ateliers sur les établis silencieux
Le rabot de la lune lissait les feuilles coupantes
Et la meule crachait ses papillons
Sur la bordure du papier où j'écris

PREMIERS TRANSPARENTS

Comment veux-tu voici que les plombs sautent encore une fois
Voici la seiche qui s'accoude d'un air de défi à la fenêtre
Et voici ne sachant où déplier son étincelante grille d'égout
Le clown de l'éclipse tout en blanc
Les yeux dans sa poche
Les femmes sentent la noix muscade
Et les principaux pastillés fêtent leur frère le vent
Qui a revêtu sa robe à tourniquet des grands jours
Mandarin à boutons de boussoles folles
Messieurs les morceaux de papier se saluent de haut en bas
des maisons

New-York.

PLUS QUE SUSPECT

Les chênes sont atteints d'une grave maladie
Ils sèchent après avoir laissé échapper
Dans une lumière de purin au soleil couchant
Toute une cohue de têtes de généraux

INTÉRIEUR

Une table servie du plus grand luxe
Démesurément longue
Me sépare de la femme de ma vie
Que je vois mal
Dans l'étoile des verres de toutes tailles qui la tient renversée
en arrière
Décolletée en coup de vent

GUERRE

Je regarde la Bête pendant qu'elle se lèche
Pour mieux se confondre avec tout ce qui l'entoure
Ses yeux couleur de houle
A l'improviste sont la mare tirant à elle le linge sale les détritus
Celle qui arrête toujours l'homme
La mare avec sa petite place de l'Opéra dans le ventre
Car la phosphorescence est la clé des yeux de la Bête
Qui se lèche
Et sa langue
Dardée on ne sait à l'avance jamais vers où
Est un carrefour de fournaises
D'en dessous je contemple son palais
Fait de lampes dans des sacs
Et sous la voûte bleu de roi
D'arceaux dédorés en perspective l'un dans l'autre
Pendant que court le souffle fait de la généralisation à l'infini de celui de ces misérables le torse nu qui se produisent sur la place publique avalant des torches à pétrole dans une aigre pluie de sous
Les pustules de la Bête resplendissent de ces hécatombes de jeunes gens dont se gorge le Nombre
Les flancs protégés par les miroitantes écailles que sont les armées
Bombées dont chacune tourne à la perfection sur sa charnière

Bien qu'elles dépendent les unes des autres non moins que les coqs qui s'insultent à l'aurore de fumier à fumier
On touche au défaut de la conscience pourtant certains persistent à soutenir que le jour va naître
La porte j'ai voulu dire la Bête se lèche sous l'aile
Et l'on voit est-ce de rire se convulser des filous au fond d'une taverne
Ce mirage dont on avait fait la bonté se raisonne
C'est un gisement de mercure
Cela pourrait bien se laper d'un seul coup
J'ai cru que la Bête se tournait vers moi j'ai revu la saleté de l'éclair
Qu'elle est blanche dans ses membranes dans le délié de ses bois de bouleaux où s'organise le guet
Dans les cordages de ses vaisseaux à la proue desquels plonge une femme que les fatigues de l'amour ont parée d'un loup vert
Fausse alerte la Bête garde ses griffes en couronne érectile autour des seins
J'essaie de ne pas trop chanceler quand elle bouge la queue
Qui est à la fois le carrosse biseauté et le coup de fouet
Dans l'odeur suffocante de cicindèle
De sa litière souillée de sang noir et d'or vers la lune elle aiguise une de ses cornes à l'arbre enthousiaste du grief
En se lovant avec des langueurs effrayantes
Flattée
La Bête se lèche le sexe je n'ai rien dit

MOT A MANTE

A Matta.

I

LA COURTE ÉCHELLE

Passe un nuagenouillé
Devant les mots qui sont la lune
(Les cornes de la girafenêtre)
J'ai demandé un cafélin
... Non pas de croissantos-dumont
Ce qui était espacétoine
Se fait muscadenas
Pour l'action toute neuve
Voici le vitrier sur le volet
Dans la langue totémique Mattatoucantharide
Mattalismancenillier

II

LA PORTE BAT

La por   por   porte   por
La   fe   nê   tre
Sur l'odeur amère du limurerre
Qui me rappelle Milady de Winter
Lissant son cheautru derrière les losanges de la pluie
Brifrouse-bifroussse le plancher est si vieux
Qu'à travers on voit le feu de la terre
Toutes les belles à leur coumicouroir
Comme les hirondelles
Sur les fils   où je joue   dans les gouttes
D'un instrument inconnu
Oumyoblisoettiste
Au cœur de ce nœud de serpents
Qu'est la croix ses quatre gueules fuyantes suspendues aux pis cardinaux

Les États généraux

LES ÉTATS GÉNÉRAUX

Dis ce qui est dessous parle
Dis ce qui commence
Et polis mes yeux qui accrochent à peine la lumière
Comme un fourré que scrute un chasseur somnambule
Polis mes yeux fais sauter cette capsule de marjolaine
Qui sert à me tromper sur les espèces du jour
Le jour si c'était lui
Quand passe sur les campagnes l'heure de traire
Descendrait-il si précipitamment ses degrés
Pour s'humilier devant la verticale d'étincelles
Qui saute de doigts en doigts entre les jeunes femmes des fermes toujours sorcières
Polis mes yeux à ce fil superbe sans cesse renaissant de sa rupture
Ne laisse que lui écarte ce qui est tavelé
Y compris au loin la grande rosace des batailles
Comme un filet qui s'égoutte sous le spasme des poissons du couchant
Polis mes yeux polis-les à l'éclatante poussière de tout ce qu'ils ont vu
Une épaule des boucles près d'un broc d'eau verte
Le matin

Dis ce qui est sous le matin sous le soir
Que j'aie enfin l'aperçu topographique de ces poches extérieures aux éléments et aux règnes
Dont le système enfreint la distribution naïve des êtres et des choses
Et prodigue au grand jour le secret de leurs affinités
De leur propension à s'éviter ou à s'étreindre
A l'image de ces courants
Qui se traversent sans se pénétrer sur les cartes maritimes
Il est temps de mettre de côté les apparences individuelles d'autrefois
Si promptes à s'anéantir dans une seule châtaigne de culs de mandrilles
D'où les hommes par légions prêts à donner leur vie
Échangent un dernier regard avec les belles toutes ensemble
Qu'emporte le pont d'hermine d'une cosse de fève
Mais polis mes yeux
A la lueur de toutes les enfances qui se mirent à la fois dans une amande
Au plus profond de laquelle à des lieues et des lieues
S'éveille un feu de forge
Que rien n'inquiète l'oiseau qui chante entre les 8
De l'arbre des coups de fouet

il y aura

D'où vient ce bruit de source
Pourtant la clé n'est pas restée sur la porte
Comment faire pour déplacer ces énormes pierres noires
Ce jour-là je tremblerai de perdre une trace
Dans un des quartiers brouillés de Lyon

Une bouffée de menthe c'est quand j'allais avoir vingt ans
Devant moi la route hypnotique avec une femme sombrement heureuse
D'ailleurs les mœurs vont beaucoup changer
Le grand interdit sera levé
Une libellule on courra pour m'entendre en 1950
A cet embranchement
Ce que j'ai connu de plus beau c'est le vertige
Et chaque 25 mai en fin d'après-midi le vieux Delescluze
Au masque auguste descend vers le Château-d'Eau
On dirait qu'on bat des cartes de miroir dans l'ombre

toujours

Ah voilà le retomber d'ailes inclus déjà dans le lâcher
D'emblée la voûte dans toute son horreur
Le mot polie rouillée et poule mouillée
Qui ronge le dessin de l'orgue de Barbarie
Il n'est pas trop tôt qu'on commence à se garer
A comprendre que le phénix
Est fait d'éphémères
Une des idées mendiantes qui m'inspirent le plus de compassion
C'est qu'on croie pouvoir frapper de grief l'anachronisme
Comme si sous le rapport causal à merci interchangeable
Et à plus forte raison dans la quête de la liberté
A rebours de l'opinion admise on n'était pas autorisé à tenir la mémoire
Et tout ce qui se dépose de lourd avec elle
Pour les sous-produits de l'imagination
Comme si j'étais fondé le moins du monde

A me croire moi d'une manière stable
Alors qu'il suffit d'une goutte d'oubli ce n'est pas rare
Pour qu'à l'instant où je me considère je vienne d'être tout autre et d'une autre goutte
Pour que je me succède sous un aspect hors de conjecture
Comme si même le risque avec son imposant appareil de tentations et de syncopes
En dernière analyse n'était sujet à caution

une pelle

La cassure de la brique creuse sourit à la chaux vive
L'air mêle les haleines des bouches les plus désirables
La première fois qu'elles se sont abandonnées
Et le mouvement de l'ouvrier est jeune c'est à croire
Que le ressort du soleil n'a jamais servi
Pleine de velléités d'essors tendue de frissons
Une haie traverse la chambre d'amour
A l'heure où les griffons quittent les échafaudages
Montre montre encore
Conjuguant leurs tourbillons
Volcans et rapides
De la taille d'une ville à celle d'un ongle
Disposent de l'homme font jouer à plein ses jointures
Dans la fusion mondiale des entreprises industrielles
Et plus singulièrement obtiennent de lui
Qu'il réprime jusqu'au cillement
Au microscope
Dans une tension héritée de l'affût primitif
Lorsqu'il lui est donné en partage
Non plus seulement de les subir mais de les déceler tout au fond de la vie

Et le manœuvre
N'est pas moins grand que le savant aux yeux du poète
L'énergie il ne s'agissait que de l'amener à l'état pur
Pour tout rendre limpide
Pour mettre aux pas humains des franges de sel
Il suffisait que le peuple se conçût en tant que tout et le devînt
Pour qu'il s'élève au sens de la dépendance universelle dans l'harmonie
Et que la variation par toute la terre des couleurs de peau et des traits
L'avertisse que le secret de son pouvoir
Est dans le libre appel au génie autochtone de chacune des races
En se tournant d'abord vers la race noire la race rouge
Parce qu'elles ont été longtemps les plus offensées
Pour que l'homme et la femme du plus près les yeux dans les yeux
Elle n'accepte le joug lui ne lise sa perte
Chantier qui tremble chantier qui bat de lumière première
L'énigme est de ne pas savoir si l'on abat si l'on bâtit

au vent

Jersey Guernescy par temps sombre et illustre
Restituent au flot deux coupes débordant de mélodie
L'une dont le nom est sur toutes les lèvres
L'autre qui n'a été en rien profanée
Et celle-ci découvre un coin de tableau anodin familial
Sous la lampe un adolescent fait la lecture à une dame âgée
Mais quelle ferveur de part et d'autre quels transports en lui

Pour peu qu'elle ait été l'amie de Fabre d'Olivet
Et qu'il soit appelé à se parer du nom de Saint-Yves d'Alveydre
Et le poulpe dans son repaire cristallin
Le cède en volutes et en tintements
A l'alphabet hébreu [1] je sais ce qu'étaient les directions poétiques d'hier
Elles ne valent plus pour aujourd'hui
Les chansonnettes vont mourir de leur belle mort
Je vous engage à vous couvrir avant de sortir
Il vaudra mieux ne plus se contenter du brouet
Mijoté en mesure dans les chambres clignotantes
Pendant que la justice est rendue par trois quartiers de bœuf
Une fois pour toutes la poésie doit resurgir des ruines
Dans les atours et la gloire d'Esclarmonde
Et revendiquer bien haut la part d'Esclarmonde
Car il ne peut y avoir de paix pour l'âme d'Esclarmonde
Dans nos cœurs et meurent les mots qui ne sont de bons rivets au sabot du cheval d'Esclarmonde
Devant le précipice où l'edelweiss garde le souffle d'Esclarmonde
La vision nocturne a été quelque chose il s'agit
Maintenant de l'étendre du physique au moral
Où son empire sera sans limites
Les images m'ont plu c'était l'art
A tort décrié de brûler la chandelle par les deux bouts
Mais tout est bien plus de mèche les complicités sont autrement dramatiques et savantes
Comme on verra je viens de voir un masque esquimau
C'est une tête de renne grise sous la neige

1. Tant de vraie grandeur oui en dépit de ce que peut avoir d'in-
Un côté du personnage extérieur du marquis [disposant
Cette réserve aussi bien vaut pour le Montreur de poulpe fâcheux attirail
Son rocher ses tables tournantes *il se sentit saisir par le pied*
Mais je passe outre plus que jamais assez du goût

De conception réaliste à cela près qu'entre l'oreille et l'œil droits s'embusque le chasseur minuscule et rose tel qu'il est censé apparaître à la bête dans le lointain

Mais emmanchée de cèdre et d'un métal sans alliage
La lame merveilleuse
Découpée ondée sur un dos égyptien
Dans le reflet du quatorzième siècle de notre ère
L'exprimera seule
Par une des figures animées du tarot des jours à venir
La main dans l'acte de prendre en même temps que de lâcher
Plus preste qu'au jeu de la mourre
Et de l'amour

dans les sables

Il passe des tribus de nomades qui ne lèvent pas la tête
Parmi lesquels je suis par rapport à tout ce que j'ai connu
Ils sont masqués comme des praticiens qui opèrent
Les anciens changeurs avec leurs femmes si particulières
Quant à l'expression du regard j'ai vu plusieurs d'entre elles
Avec trois siècles de retard errer aux abords de la Cité
Ou bien ce sont les lumières de la Seine
Les changeurs au moment d'écailler la dorade
S'arrêtent parce que j'ai à changer beaucoup plus qu'eux
Et les morts sont les œufs qui reviennent prendre l'empreinte du nid
Je ne suis pas comme tant de vivants qui prennent les devants pour revenir

Je suis celui qui va
On m'épargnera la croix sur ma tombe
Et l'on me tournera vers l'étoile polaire
Mais tout testament suppose une impardonnable concession
Comme si dans le chaton de la bague qui me lie à la terre
Ne résidait suprême la goutte de poison oriental
Qui m'assure de la dissolution complète avec moi
De cette terre telle que je l'ai pensée une échappée plus radicale
Sinon plus orgueilleuse que celle à quoi nous convie le divin Sade
Déléguant au gland à partir de lui héraldique
Le soin de dissimuler le lieu de son dernier séjour
Comme je me flatte dit-il
Que ma mémoire s'effacera de l'esprit des hommes
Pile ou face face la pièce nue libre de toute effigie de tout millésime
Pile
La pente insensible et pourtant irrésistible vers le mieux

Il ne me reste plus qu'à tracer sur le sol la grande figure quadrilatère
Au centre gauche l'ovale noir
Parcouru de filaments incandescents tels qu'ils apparaissent avant que la lampe ne s'éteigne
Quand on vient de couper le courant du secteur
L'homme et ses problèmes
Inscrit dans le contour ornemental d'une fleur de tabac
Puis tour à tour
Regardant chacun des côtés et disposés symétriquement par rapport aux axes
Les quatre têtes rondes d'être quatre fois bandées
Le pansement du front le loup noir le bâillon bleu la mentonnière jaune
Les fentes des yeux et de la bouche sont noires

En bas le passé il porte des cornes noires de taureau du bout desquelles plongent des plumes de corbeau
Du sommet et de la base partent les fils lilas noisette de certains yeux
A gauche le présent il porte des cornes blanches de taureau d'où retombent des plumes d'oie sauvage
Il s'avive par places de mica comme la vie au parfum de ton nom qui est une mantille mais celle même dans l'immense vibration qui exalte l'homme-soleil et je baisse les yeux fasciné par cette partie déclive de ta lèvre où continuent à poindre les rois mages
En haut l'avenir il porte des cornes jaunes de taureau dardant des plumes de flamant
Il est surmonté d'un éclair de paille pour la transformation du monde
A droite l'éternel il porte des cornes bleues de taureau à la pointe desquelles bouclent des plumes de manucode
Un arc de brume glisse tangentiellement aux bords sud ouest et nord et s'ouvre sur deux éventails de martin-pêcheur cet arc enveloppe les trois premières têtes et laisse libre la quatrième gardée sur champ de pollen par une peau de condylure tendue au moyen d'épines de rosier
C'est par là qu'on entre
On entre on sort
On entre
on ne sort pas

du rêve

Mais la lumière revient
Le plaisir de fumer
L'araignée-fée de la cendre à points bleus et rouges

N'est jamais contente de ses maisons de Mozart
La blessure guérit tout s'ingénie à se faire reconnaître je parle et sous ton visage tourne le cône d'ombre qui du fond des mers a appelé les perles
Les paupières les lèvres hument le jour
L'arène se vide
Un des oiseaux en s'envolant
N'a eu garde d'oublier la paille et le fil
A peine si un essaim a trouvé bon de patiner
La flèche part
Une étoile rien qu'une étoile perdue dans la fourrure de la nuit

New-York, octobre 1943.

Xénophiles

LA LANTERNE SOURDE

Et les grandes orgues c'est la pluie comme elle tombe ici et se parfume : quelle gare pour l'arrivée en tous sens sur mille rails, pour la manœuvre sur autant de plaques tournantes de ses express de verre! A toute heure elle charge de ses lances blanches et noires, des cuirasses volant en éclats de midi à ces armures anciennes faites des étoiles que je n'avais pas encore vues. Le grand jour de préparatifs qui peut précéder la nuit de Walpurgis au gouffre d'Absalon! J'y suis! Pour peu que la lumière se voile, toute l'eau du ciel pique aussitôt sa tente, d'où pendent les agrès de vertige et de l'eau encore s'égoutte à l'accorder des hauts instruments de cuivre vert. La pluie pose ses verres de lampe autour des bambous, aux bobèches de ces fleurs de vermeil agrippées aux branches par des suçoirs, autour desquelles il n'y a qu'une minute toutes les figures de la danse enseignées par deux papillons de sang. Alors tout se déploie au fond du bol à la façon des fleurs japonaises puis une clairière s'entrouvre : l'héliotropisme y saute avec ses souliers à poulaine et ses ongles vrillés. Il prend tous les cœurs, relève d'une aigrette la sensitive et pâme la fougère dont la boucle ardente est la roue du temps. Mon œil est une violette fermée au centre de l'ellipse, à la pointe du fouet.

Août 1941.

La nuit en Haïti les fées noires successives portent à sept centimètres au-dessus des yeux les pirogues du Zambèze, les feux synchrones des mornes, les clochers surmontés d'un combat de coqs et les rêves d'éden qui s'ébrouent effrontément autour de la désintégration atomique. C'est à leurs pieds que Wilfredo Lam installe son « vêver », c'est-à-dire la merveilleuse et toujours changeante lueur tombant des vitraux invraisemblablement ouvragés de la nature tropicale sur un esprit libéré de toute influence et prédestiné à faire surgir de cette lueur les images des dieux. Dans un temps comme le nôtre, on ne sera pas surpris de voir se prodiguer, ici nanti de cornes, le loa Carrefour — Eleggua à Cuba — qui souffle sur les ailes des portes. Témoignage unique et frémissant toujours comme s'il était pesé aux balances des feuilles, envol d'aigrettes au front de l'étang où s'élabore le mythe d'aujourd'hui, l'art de Wilfredo Lam fuse de ce point où la source vitale mire l'arbre-mystère, je veux dire l'âme persévérante de la race, pour arroser d'étoiles le DEVENIR qui doit être le mieux-être humain.

Janvier 1946.

LA MOINDRE RANÇON

Au pays d'Élisa

Toi qui ronges la plus odorante feuille de l'atlas
Chili
Chenille du papillon-lune [1]

Toi dont toute la structure épouse
La tendre cicatrice de rupture de la lune avec la terre [2]
Chili des neiges
Comme le drap qu'une belle rejette en se levant

Dans un éclair le temps de découvrir
De toute éternité ce qui me prédestine à toi
Chili
De la lune en septième maison dans mon thème astral

1. C'est un grand papillon vert amande finissant en clé de sol qui passe vers minuit. Je ne le connaissais pas avant de me rendre en Amérique. Il me visita peu après dans une maison située en plein bois. Sa venue et son insistance me parurent augurales.

2. « Los geólogos han descubierto un hecho adicional que presta una fuerte base a la hypotesis de que la cuenca del Pacífico es realmente el « agujero » dejado en la superficie de la Tierra por la separación de su satélite. » (George Gamow : *Biografia de la Tierra.*)

Je vois la Vénus du Sud
Naissant non plus de l'écume de la mer
Mais d'un flot d'azurite à Chuquicamata
Chili
Des boucles d'oreilles araucanes en puits de lune

Toi qui prêtes aux femmes les plus beaux yeux de brume
Touchés d'une plume de condor
Chili
Du *regard des Andes* on ne saurait mieux dire

Accorde l'orgue de mon cœur aux stridences des hauts voi-
liers de stalactites
Vers le cap Horn
Chili
Debout sur un miroir

Et rends-moi ce qu'elle est seule à tenir
Le brin de mimosa encore frémissant dans l'ambre
Chili des *catéadores*
Terre de mes amours

KORWAR

Tu tiens comme pas un
Tu as été pris comme tu sortais de la vie
Pour y rentrer
Je ne sais pas si c'est dans un sens ou dans l'autre que tu
ébranles la grille du parc
Tu as relevé contre ton cœur l'herbe serpentine
Et à jamais bouclé les paradisiers du ciel rauque
Ton regard est extra-lucide
Tu es assis
Et nous aussi nous sommes assis
Le crâne encore pour quelques jours
Dans la cuvette de nos traits
Tous nos actes sont devant nous
A bout de bras
Dans la vrille de la vigne de nos petits
Tu nous la bailles belle sur l'existentialisme
Tu n'es pas piqué des vers

ULI

Pour sûr tu es un grand dieu
Je t'ai vu de mes yeux comme nul autre
Tu es encore couvert de terre et de sang tu viens de créer
Tu es un vieux paysan qui ne sait rien
Pour te remettre tu as mangé comme un cochon
Tu es couvert de taches d'homme
On voit que tu t'en es fourré jusqu'aux oreilles
Tu n'entends plus
Tu nous reluques d'un fond de coquillage
Ta création te dit haut les mains et tu menaces encore
Tu fais peur tu émerveilles

DUKDUK

Le sang ne fait qu'un tour
Quand le dukduk se déploie sur la péninsule de la Gazelle
Et que la jungle s'entrouvre sur cent soleils levants
Qui s'éparpillent en flamants
A toutes vapeurs de l'ordalie
Comme une locomotive de femmes nues
Au sortir d'un tunnel de sanglots
Là-haut cône
Gare

TIKI

Je t'aime à la face des mers
Rouge comme l'œuf quand il est vert
Tu me transportes dans une clairière
Douce aux mains comme une caille
Tu m'appuies sur le ventre de la femme
Comme contre un olivier de nacre
Tu me donnes l'équilibre
Tu me couches
Par rapport au fait d'avoir vécu
Avant et après
Sous mes paupières de caoutchouc

RANO RARAKU

Que c'est beau le monde
La Grèce n'a jamais existé
Ils ne passeront pas
Mon cheval trouve son picotin dans le cratère
Des hommes-oiseaux des nageurs courbes
Volètent autour de ma tête car
C'est moi aussi
Qui suis là
Aux trois quarts enlisé
Plaisantant des ethnologues
Dans l'amicale nuit du Sud
Ils ne passeront pas
La plaine est immense
Ceux qui s'avancent sont ridicules
Les hautes images sont tombées

1948.

Ode à Charles Fourier

En ce temps-là je ne te connaissais que de vue
Je ne sais même plus comment tu es habillé
Dans le genre neutre sans doute on ne fait pas mieux
Mais on ne saurait trop complimenter les édiles
De t'avoir fait surgir à la proue des boulevards extérieurs
C'est ta place aux heures de fort tangage
Quand la ville se soulève
Et que de proche en proche la fureur de la mer gagne ces coteaux tout spirituels
Dont la dernière treille porte les étoiles
Ou plus souvent quand s'organise la grande battue nocturne du désir
Dans une forêt dont tous les oiseaux sont de flammes
Et aussi chaque fois qu'une pire rafale découvre à la carène
Une plaie éblouissante qui est la criée aux sirènes
Je ne pensais pas que tu étais à ton poste
Et voilà qu'un petit matin de 1937
Tiens il y avait autour de cent ans que tu étais mort
En passant j'ai aperçu un très frais bouquet de violettes à tes pieds
Il est rare qu'on fleurisse les statues à Paris
Je ne parle pas des chienneries destinées à mouvoir le troupeau

Et la main qui s'est perdue vers toi d'un long sillage égare aussi ma mémoire
Ce dut être une fine main gantée de femme
On aimait s'en abriter pour regarder au loin
Sans trop y prendre garde aux jours qui suivirent j'observai que le bouquet était renouvelé
La rosée et lui ne taisaient qu'un
Et toi rien ne t'eut fait détourner les yeux des boues diamantifères de la place Clichy

Fourier es-tu toujours là
Comme au temps où tu t'entêtais dans tes plis de bronze à faire dévier le train des baraques foraines
Depuis qu'elles ont disparu c'est toi qui es incandescent

Toi qui ne parlais que de lier vois tout s'est délié
Et sens dessus dessous on a redescendu la côte
Les lèvres entrouvertes des enfants boudant le sein des mères dénudées
Et ces nacres d'épaules et ces fesses gardant leur duvet
S'amalgament en un seul bloc compact et mat d'écume de mer
Que saute un filet de sang

Sur un autre plan
Car les images les plus vives sont les plus fugaces
La manche du temps hume la muscade
Et fait saillir la manchette aveuglante de la vie
Sur un autre plan
D'aucuns se prennent à choyer dans les éboulis au bord des mares
Des espèces qui paraissaient en voie de s'encroûter définitivement
Mais qui les circonstances aidant ne semblent pas incapables d'une nouvelle reptation

Et passent pour nourrir volontiers leur vermine
On répugne à trancher leurs œufs sans coque
Leur frai immémorial glisse sur la peur
Tu les as connues aussi bien que moi
Mais tu ne peux savoir comme elles sont sorties lissées et goulues de l'hivernage

Tu pensais que sur terre la création d'essai qui avait nécessité des modèles carnassiers d'ample dimension n'avait pas résisté au premier déluge alors que précisais-tu une deuxième création sur l'Ancien Continent et une troisième en Amérique avaient trouvé grâce devant un second déluge de sorte que l'homme qui en était issu pouvait attendre de pied ferme et même qu'il lui appartenait de précipiter à son avantage les créations 4, 5, etc.

Dieu de la progression pardonne-moi c'est toujours le même mobilier
On n'est pas mieux pourvu sous le rapport des *contre-moules* antirat et antipunaise
Par ma foi les grands hagards de la faune préhistorique
Ne sont pas si loin ils gouvernent la conception de l'univers
Et prêtent leur peau halitueuse aux ouvrages des hommes
Pour savoir comme aujourd'hui le commun des mortels prend son sort
Tâche de surprendre le regard du lamantin
Qui se prélasse au zoo dans sa baignoire d'eau tiède
Il t'en dira long sur la vigueur des idéaux
Et te donnera la mesure de l'effort qui a été fourni
Dans la voie de l'*industrie attrayante*
Par la même occasion
Tu ne manqueras pas de t'enquérir des charognards
Et tu verras s'ils ont perdu de leur superbe

Le rideau jumeau soulevé

Tu seras admis à contempler dans son sacre

Une main de sang empreinte à l'endroit du cœur sur son tablier impeccable le boucher-soleil
Se donnant le ballet de ses crochets nickelés
Pendant que les cynocéphales de l'épicerie
Comblés d'égards en ces jours de disette et de marché noir
A ton approche feront miroiter leur côté luxueux
Parmi les mesures que tu préconisais pour rétablir l'équilibre de population
(Nombre de consommateurs proportionné aux forces productives)
Il est clair qu'on ne s'en est pas remis au *régime gastrosophique*
Dont l'établissement devait aller de pair avec la légalisation des *mœurs phanérogames*
On a préféré la bonne vieille méthode
Qui consiste à pratiquer des coupes sombres dans la multitude fantôme
Sous l'anesthésique à toute épreuve des drapeaux

Fourier il est par trop sombre de les voir émerger d'un des pires cloaques de l'histoire
Épris du dédale qui y ramène
Impatients de recommencer pour mieux sauter

Sur la brèche
Au premier défaut du cyclone
Savoir *qui* reste la lampe au chapeau
La main ferme à la rampe du wagonnet suspendu
Lancé dans le poussier sublime

Comme toi Fourier
Toi tout debout parmi les grands visionnaires
Qui crus avoir raison de la routine et du malheur
Ou encore comme toi dans la pose immortelle
Du Tireur d'épine

On a beau dire que tu t'es fait de graves illusions
Sur les chances de résoudre le litige à l'amiable
A toi le roseau d'Orphée

D'autres vinrent qui n'étaient plus armés seulement de persuasion
Ils menaient le bélier qui allait grandir
Jusqu'à pouvoir se retourner de l'orient à l'occident
Et si la violence nichait entre ses cornes
Tout le printemps s'ouvrait au fond de ses yeux

Tour à tour l'existence de cette bête fabuleuse m'exalte et me trouble
Quand elle a donné de la tête le monde a tremblé il y a eu d'immenses clairières
Qui par places ont été reprises de brousse
Maintenant elle saigne et elle paît

Je ne vois pas le *pâtre omnitone* qui devrait en avoir la garde
Pourvu qu'elle reste assez vaillante pour aller au bout de son exploit
On tremble qu'elle ne se soit contaminée dès longtemps près des marais
Sous la superbe Toison si sournoisement allaient s'élaborer des poisons

Le drame est qu'on ne peut répondre de ces êtres de très grandes proportions qu'il advient au génie de mettre en marche et qui livrés à leurs propres ressources n'ont que trop tendance à s'orienter vers le néfaste à plus forte raison si le recours à un néfaste partiel et envisagé comme transitoire à l'effet même de réduire dans la suite le néfaste entre dans les intentions dont ils sont pétris

Sans prix
A mes yeux et toujours exemplaire reste le premier bond accompli dans le sens de l'ajustement de structure
Et pourtant quelle erreur d'aiguillage a pu être commise rien n'annonce le règne de l'*harmonie*
Non seulement Crésus et Lucullus
Que tu appelais à rivaliser aux *sous-groupes des tentes de la renoncule*
Ont toujours contre eux Spartacus
Mais en regardant d'arrière en avant on a l'impression que les *parcours de bonheur* sont de plus en plus clairsemés
Indigence fourberie oppression carnage ce sont toujours les mêmes maux dont tu as marqué la civilisation au fer rouge
Fourier on s'est moqué mais il faudra bien qu'on tâte un jour bon gré mal gré de ton remède
Quitte à faire subir à l'ordonnance de ta main telles corrections d'angle
A commencer par la réparation d'honneur
Due au peuple juif
Et laissant hors de débat que sans distinction de confession la libre rapine parée du nom de commerce ne saurait être réhabilitée
Roi de passion une erreur d'optique n'est pas pour altérer la netteté ou réduire l'envergure de ton regard
Le calendrier à ton mur a pris toutes les couleurs du spectre
Je sais comme sans arrière-pensée tu aimerais
Tout ce qu'il y a de nouveau
Dans l'eau
Qui passe sous le pont
Mais pour mettre ordre à ces dernières acquisitions et qui sait par impossible se les rendre propices
Ton vieux bahut en cœur de chêne est toujours bon
Tout tient sinon se plaît dans ses douze tiroirs

I. ÉTAT DES RESSORTS SENSUELS

1° LE TACT :

a) *sur le plan des faits tangibles* — hiver d'une rigueur jusqu'alors inconnue en Europe (destruction des foyers, pénurie de vêtements, abaissement calorique dû à la sous-alimentation) ; b) *dans le domaine des idées* — « expliquer c'est identifier » (tu l'avais mieux dit) mais expliquer = rechercher la vraie réalité. Or, plus on traque de près cette réalité, plus elle se dérobe. L'école : « L'effort réaliste en quête de l'authentique nature physique aboutit en fin de compte à un immatérialisme. »

2° LA VUE :

a) *vers l'extérieur* — elle est déchirée de toutes parts (les camps de concentration, les bombardements massifs l'ont tenue à l'extrême limite du supportable) ; b) *vers l'intérieur* — elle venait de se découvrir tout un nouveau continent dont l'cxploration sc poursuivra (grands repères déjà pris en psychopathie et en art).

3° L'OUÏE :

obstruée systématiquement par le caquetage le plus éhonté et le plus nocif de tous les temps (radiophonie). La note poétique en plein discord poste du mont Everest.

4° LE GOÛT :

a) *langue et palais* — rétrogradation de la *gastronomie cabalistique* au-delà de l'enfance de la terre par retrait pur et simple de tous les comestibles qui n'étaient pas réservés au bétail. Premier accès de convoitise à l'apparition de la conserve américaine qui sauvegarde du moins la belle apparence du petit pois; b) *au sens de discernement du beau* — passons.

5° L'ODORAT :

On n'a pas surpassé les parfums de Paris.

II. ÉTAT DES RESSORTS AFFECTUEUX

6° L'AMITIÉ :

En croissante et presque complète aliénation d'elle-même. Une des malédictions d'aujourd'hui : qu'aux plus rares affinités, aux accords initiaux les plus vastes sur lesquels se fonde l'amitié entre deux êtres succède au moindre frottement comme par renversement de signe un antagonisme sans appel qui les porte aux mouvements les plus contradictoires et dans les cas de plus vive rancœur va jusqu'à fausser le témoignage de leur vie (maladie à étudier : elle affecte d'autant plus la collectivité qu'elle frappe de préférence des individus placés en vedette).

7° L'AMOUR :

Je ne m'explique pas ce qui t'a fait occulter ici le Grand Brillant et nous tendre une perle baroque mais l'*attraction passionnée* ou *révélation sociale permanente* n'en est pas moins la projection enthousiaste de ce Brillant dans toutes les autres sphères. Vérité embryonnaire en philosophie moderne : « Celui qui n'aime que l'humanité n'aime pas mais bien celui qui aime tel être humain déterminé » (c'est au plus haut période de l'amour électif pour tel être que s'ouvrent toutes grandes les écluses de l'amour pour l'humanité non certes telle qu'elle est mais telle qu'on se prend à vouloir activement qu'elle *devienne*). Accorder sans autre chicane au même auteur que « c'est dans le fait d'être soi-même de la façon la plus décisive que prend racine notre amour le plus pur pour la nature ».

8° L'AMBITION :

Babiolisme — la tombola infernale de la guerre a eu pour effet dérisoire de combler les adultes des satisfactions que tu proposais d'accorder à un *enfant de trois ans, haut lutin — il aurait déjà pour le moins une vingtaine de dignités et décorations, comme celles de :*

> *Licencié au groupe des allumettes,*
> *Bachelier au groupe d'égoussage,*
> *Néophyte au groupe du réséda, etc..., etc...*

avec ornements distinctifs de toutes ces fonctions (certaines prétentions non moins puériles mais plus inquiétantes n'impliquant pas aujourd'hui le port extérieur de rubans).

9° LA FAMILLE :

Lieu actuel de culmination du système deux poids deux mesures : fils à papa et enfants perdus. Dans l'œil vacillant du serf l'aplomb du château féodal. La famille ressort d'aparté, de piétinement, d'égoïsme, de vanité, de division, d'hypocrisie et de mensonge tel que le sanctionne le scandale persistant et sans égal de l'héritage.

III. *ÉTAT DES PASSIONS MÉCANISANTES*

10° LA CABALISTE :

Vient d'être assujettie en masse aux cadres les plus contraires à sa raison d'être, aussi désadaptée que possible du besoin de *consommation*, de *préparation* et de *production* qui peut la motiver. L'esprit du lendemain ne hasarde pas plus de trois poils de moustache hors du terrier. Maigre feu d'artifice. Haute feuille d'acanthe de l'ornière.

11° LA COMPOSITE :

A peine moins rétive à se reconnaître. Encore sous le coup de l'invitation peu déclinable à penser sur commande, tout au moins à se mouvoir par rangs arbitraires, aux creux impalpables. Tout à retrouver, à rapporter au réseau de la solidarité humaine.

12° LA PAPILLONNE :

Cri du sphinx Atropos. Travail à la chaîne.

ᔕ

Fourier qu'a-t-on fait de ton clavier
Qui répondait à tout par un accord
Réglant au cours des étoiles jusqu'au grand écart du plus fier trois-mâts depuis les entrechats de la plus petite banque sur la mer
Tu as embrassé l'unité tu l'as montrée non comme perdue mais comme intégralement réalisable
Et si tu as nommé « Dieu » ç'a été pour inférer que ce dieu tombait sous le sens *(Son corps est le feu)*
Mais ce qui me débuche à jamais la pensée socialiste
C'est que tu aies éprouvé le besoin de *différencier au moins en quadruple forme la virgule*
Et de faire passer la clé de sol de seconde en première ligne dans la notation musicale
Parce que c'est le monde entier qui doit être non seulement retourné mais de toutes parts aiguillonné dans ses conventions
Qu'il n'est pas une manette à quoi se fier une fois pour toutes
Comme pas un lieu commun dogmatique qui ne chancelle devant le doute et l'exigence ingénus

Parce que le « *Voile d'airain* » a survécu à l'accroc que tu lui as fait
Qu'il couvre de plus belle la *cécité scientifique*
« Personne n'a jamais vu de molécule, ni d'atome, ni de lien atomique et sans doute ne les verra jamais » (Philosophe). Prompt démenti : entre en se dandinant la molécule du caoutchouc
Un savant bien que muni de lunettes noires perd la vue pour avoir assisté à plusieurs milles de distance aux premiers essais de la bombe atomique (Les journaux)

Fourier je te salue du Grand Canon du Colorado
Je vois l'aigle qui s'échappe de ta tête
Il tient dans ses serres le mouton de Panurge

Et le vent du souvenir et de l'avenir
Dans les plumes de ses ailes fait passer les visages de mes amis
Parmi lesquels nombreux ceux qui n'ont plus ou n'ont pas encore de visage

Parce que persistent on ne peut plus vainement à s'opposer les rétrogrades conscients et tant d'apôtres du progrès social en fait farouchement *immobilistes* que tu mettais dans le même sac

Je te salue de la Forêt Pétrifiée de la culture humaine
Où plus rien n'est debout
Mais où rôdent de grandes lueurs tournoyantes
Qui appellent la délivrance du feuillage et de l'oiseau
De tes doigts part la sève des arbres en fleurs

Parce que disposant de la pierre philosophale
Tu n'as écouté que ton premier mouvement qui était de la tendre aux hommes
Mais entre eux et toi nul intercesseur
Pas un jour qu'avec confiance tu ne l'attendisses pendant une heure dans les jardins du Palais-Royal
Les attractions sont proportionnelles aux destinées
En foi de quoi je viens aujourd'hui vers toi

Je te salue du Névada des chercheurs d'or
De la terre promise et tenue
A la terre en veine de promesses plus hautes qu'elle doit tenir encore

Du fond de la mine d'azurite qui mire le plus
beau ciel
Pour toujours par-delà cette enseigne de bar qui
continue à battre la rue d'une ville morte —
Virginia-City — « Au vieux baquet de sang »

Parce que se perd de plus en plus le sens de la fête
Que les plus vertigineux autostrades ne laissent pas de nous
faire regretter ton *trottoir à zèbres*
Que l'Europe prête à voler en poudre n'a trouvé rien de plus
expédient que de prendre des mesures de défense contre les
confetti
Et que parmi les exercices chorégraphiques que tu suggérais
de multiplier
Il serait peut-être temps d'omettre *ceux du fusil et de l'encensoir*

Je te salue de l'instant où viennent de prendre fin
les danses indiennes
Au cœur de l'orage
Et les participants se groupent en amande autour
des brasiers à la prenante odeur de pin-pignon
contre la pluie bien-aimée
Une amande qui est une opale
Exaltant au possible ses feux rouges dans la nuit

Parce que tu as compris que l'état *surcomposé* ou *supra-mondain*
de l'âme (qu'il ne s'agit plus de reporter à l'autre monde
mais de promouvoir dans celui-ci) devait entretenir des
relations plus étroites avec l'état *simple infra-mondain*, le
sommeil, qu'avec l'état *composé* ou *mondain*, la veille, qui
leur est intermédiaire

Je te salue de la croisée des chemins en signe
de preuve et de la trajectoire toujours en puis-

sance de cette flèche précieusement recueillie à mes pieds : « Il n'y a pas de séparation, d'hétérogénéité entre le surnaturel et le naturel (le réel et le surréel). Aucun hiatus. C'est un « continuum », on croit entendre André Breton : c'est un ethnographe qui nous parle au nom des Indiens Soulteaux »

Parce que si le serpent à sonnettes était une de tes bêtes noires du moins tu n'as pas douté que les passions sans en excepter celles que la morale fait passer pour les plus indignes égarements de l'esprit et des sens constituent un cryptogramme indivisible que l'homme est appelé à déchiffrer
Et que tenant pour hors de question que la nature et l'âme humaine répondent au même modèle
Dare-dare tu t'es mis en quête de repères dans le potager

Je te salue du bas de l'échelle qui plonge en grand mystère dans la *kiwa* hopi la chambre souterraine et sacrée ce 22 août 1945 à Mishongnovi à l'heure où les serpents d'un nœud ultime marquent qu'ils sont prêts à opérer leur conjonction avec la bouche humaine
Du fond du pacte millénaire qui dans l'angoisse a pour objet de maintenir l'intégrité du verbe
Des plus lointaines ondes de l'écho qu'éveille le pied frappant impérieusement le sol pour sceller l'alliance avec les puissances qui font lever la graine

Fourier tranchant sur la grisaille des idées et des aspirations d'aujourd'hui ta lumière
Filtrant la soif de mieux-être et la maintenant à l'abri de tout ce qui pourrait la rendre moins pure quand bien même

Et c'est le cas je tiendrais pour avéré que l'amélioration du sort humain ne s'opère que très lentement par à-coups au prix de revendications terre à terre et de froids calculs le vrai levier n'en demeure pas moins la croyance irraisonnée à l'acheminement vers un futur édénique et après tout c'est elle aussi le seul levain des générations ta jeunesse

> « *Si la série des cerisistes est en nombreuse réunion à son grand verger, à un quart de lieue du phalanstère, il convient que, dans la séance de quatre à six heures du soir, elle voie se réunir avec elle et à son voisinage :*
> 1° *Une cohorte de la phalange voisine et des deux sexes, venue pour aider aux cerisistes;*
> 2° *Un groupe de dames fleuristes du canton, venant cultiver une ligne de cent toises de Mauves et Dahlias qui forment perspective pour la route voisine, et bordure en équerre pour un champ de légumes contigu au verger;*
> 3° *Un groupe de la Série des légumistes, venu pour cultiver les légumes de ce champ;*
> 4° *Un groupe de la Série des mille fleurs, venu pour la culture d'un autel de secte, placé entre le champ de légumes et le verger de cerisiers;*
> 5° *Un groupe de jouvencelles fraisistes, arrivant à la fin de la séance, et sortant de cultiver une clairière garnie de fraisiers dans la forêt voisine;*
> *A cinq heures trois quarts, des fourgons suspendus partis du phalanstère amènent le goûter pour tous ces groupes : il est servi dans le castel des cerisistes, de cinq heures trois quarts à six un quart, ensuite les groupes se dispersent après avoir formé des liens amicaux et négocié des réunions industrielles ou autres pour les jours suivants* »

Pointant sur champ d'étoiles la main hardiment portée vers la ruche où la reine Herschel rassemble ses satellites connus et non encore découverts en haine irréductible de la frustration en tous genres qui découvre à la honte des sociétés les plus arrogantes le visage noirci d'un enfant près d'un four d'usine et s'abîme dans la douceur des coups frappés par l'horloge de Pol de Limbourg ton tact suprême dans la démesure

Au grand scandale des uns sous l'œil à peine moins sévère des autres soulevant son poids d'ailes ta liberté

Oubliés

ÉCOUTE AU COQUILLAGE

Je n'avais pas commencé à te voir tu étais AUBE

Rien n'était dévoilé
Toutes les barques se berçaient sur le rivage
Dénouant les faveurs (tu sais) de ces boîtes de dragées
Roses et blanches entre lesquelles ambule une navette d'ar-
gent
Et moi je t'ai nommée Aube en tremblant

Dix ans après
Je te retrouve dans la fleur tropicale
Qui s'ouvre à minuit
Un seul cristal de neige qui déborderait la coupe de tes deux
mains
On l'appelle à la Martinique la *fleur du bal*
Elle et toi vous vous partagez le mystère de l'existence
Le premier grain de rosée devançant de loin tous les autres
follement irisé contenant tout

Je vois ce qui m'est caché à tout jamais
Quand tu dors dans la clairière de ton bras sous les papillons
de tes cheveux

Et quand tu renais du phénix de ta source
Dans la menthe de la mémoire
De la moire énigmatique de la ressemblance dans un miroir
sans fond
Tirant l'épingle de ce qu'on ne verra qu'une fois

Dans mon cœur toutes les ailes du milkweed
Frètent ce que tu me dis

Tu portes une robe d'été que tu ne te connais pas
Presque immatérielle elle est constellée en tous sens d'aimants
en fer à cheval d'un beau rouge minium à pieds bleus

Sur mer, 1946.

JE REVIENS

Mais enfin où sommes-nous
Je lustre de deux doigts le poil de la vitre
Un griffon de transparence passe la tête
Au travers je ne reconnais pas le quartier
Le soir tombe il est clair que nous allons depuis longtemps
 à l'aventure
Doucement doucement voyons
Et moi je vous dis qu'il y avait une plaque là à gauche

Rue quoi *Rue-où-peut-être-donné-le-droit-à-la-bonne-chère*
Et dix sept cents francs au compteur c'est insensé
Qu'attendez-vous pour consulter votre plan nom de Dieu
Mais le chauffeur semble sortir d'un rêve
La tête tournée à droite il lit à haute voix
Rue-des-chères-bonnes-âmes
Eh bien
Ça ne lui fait ni chaud ni froid
Bien mieux il parle de reprendre la course
Il a déjà la main sur son drapeau
Où allions-nous j'ai oublié

Nous entrons dans un tabac vermoulu
Il faut écarter d'épais rideaux de gaze grise

Comme les bayahondes d'Haïti
Au comptoir une femme nue ailée
Verse le sang dans des verres d'éclipse
Les étiquettes des bouteilles portent les mots Libres Pêcheurs
Gondine on dirait de l'eau-de-vie de Dantzig Evita de Martines
Et les boîtes de cigares flamboient d'images d'échauffourées
La merveille au mur est un éventail à soupiraux
Madame sommes-nous encore loin de Chorhyménée
Mais la belle au buisson ardent se mire dans ses ongles
Des joueurs au fond de la pièce abattent des falaises de vitraux
Nous rebroussons

La route est bordée de maisons toutes en construction
Dont pointe le pistil et se déploient en lampe à arc les étamines

SUR LA ROUTE DE SAN ROMANO

La poésie se fait dans un lit comme l'amour
Ses draps défaits sont l'aurore des choses
La poésie se fait dans les bois

Elle a l'espace qu'il lui faut
Pas celui-ci mais l'autre que conditionnent
L'œil du milan
La rosée sur une prêle
Le souvenir d'une bouteille de Traminer embuée
sur un plateau d'argent
Une haute verge de tourmaline sur la mer
Et la route de l'aventure mentale
Qui monte à pic
Une halte elle s'embroussaille aussitôt

Cela ne se crie pas sur les toits
Il est inconvenant de laisser la porte ouverte
Ou d'appeler des témoins

Les bancs de poissons les haies de mésanges
Les rails à l'entrée d'une grande gare

Les reflets des deux rives
Les sillons dans le pain
Les bulles du ruisseau
Les jours du calendrier
Le millepertuis

L'acte d'amour et l'acte de poésie
Sont incompatibles
Avec la lecture du journal à haute voix

Le sens du rayon de soleil
La lueur bleue qui relie les coups de hache du bûcheron
Le fil du cerf-volant en forme de cœur ou de nasse
Le battement en mesure de la queue des castors
La diligence de l'éclair
Le jet de dragées du haut des vieilles marches
L'avalanche

La chambre aux prestiges
Non messieurs ce n'est pas la huitième Chambre
Ni les vapeurs de la chambrée un dimanche soir

Les figures de danse exécutées en transparence au-dessus des mares
La délimitation contre un mur d'un corps de femme au lancer de poignards
Les volutes claires de la fumée
Les boucles de tes cheveux
La courbe de l'éponge des Philippines
Les lacés du serpent corail

L'entrée du lierre dans les ruines
Elle a tout le temps devant elle

L'étreinte poétique comme l'étreinte de chair
Tant qu'elle dure
Défend toute échappée sur la misère du monde

1948.

MONT DE PIÉTÉ

LES CHAMPS MAGNÉTIQUES

CLAIR DE TERRE

POISSON SOLUBLE

L'UNION LIBRE

LE REVOLVER A CHEVEUX BLANCS

VIOLETTE NOZIÈRES

L'AIR DE L'EAU

1935-1940

PLEINE MARGE

FATA MORGANA

1940-1943

LES ÉTATS GÉNÉRAUX

XÉNOPHILES

ODE A CHARLES FOURIER

OUBLIÉS

ŒUVRES D'ANDRÉ BRETON

nrf

Les Pas perdus.
Introduction au discours sur le peu de réalité.
Le Surréalisme et la peinture.
Nadja.
Point du jour.
L'Amour fou.
Poèmes.
Les Vases communicants.
Manifestes du surréalisme.
Clair de terre.

Chez d'autres éditeurs :

Mont de Piété. — *Au Sans Pareil*, 1919.
Les Champs magnétiques (en collaboration avec Philippe Soupault). — *Au Sans Pareil*, 1921.
Clair de terre. — *Collection Littérature*, 1923.
Manifeste du surréalisme. — Poisson soluble. — *Kra*, 1924.
Légitime défense. — *Éditions surréalistes*, 1926.
Manifeste du surréalisme, nouvelle édition augmentée de la Lettre aux voyantes. — *Kra*, 1929.
Ralentir travaux (en collaboration avec René Char et Paul Éluard). — *Éditions surréalistes*, 1930.
Second manifeste du surréalisme. — *Kra*, 1930.
L'Immaculée conception (en collaboration avec Paul Éluard. — *Éditions surréalistes*, 1930.
L'Union libre. — Paris, 1931.
Misère de la poésie. — *Éditions surréalistes*, 1932.
Le Revolver a cheveux blancs. — *Éditions des Cahiers libres*, 1932.
Qu'est-ce que le surréalisme ? — *René Henriquez*, 1934.
L'Air de l'eau. — *Éditions Cahiers d'Art*, 1934.
Position politique du surréalisme. — *Éditions du Sagittaire*, 1935.
Au lavoir noir. — *G. L. M.*, 1936.
Notes sur la poésie (en collaboration avec Paul Éluard.) *G. L. M.* 1936.
Le Chateau étoilé. — *Éditions Albert Skira*, 1937.

Trajectoire du rêve (documents recueillis par A. B.) — *G. L. M.* 1938.

Dictionnaire abrégé du surréalisme (en collaboration avec Paul Éluard). — *Éditions Beaux-Arts*, 1938.

Anthologie de l'humour noir. — *Éditions du Sagittaire*, 1940.

Fata Morgana. — *Des Lettres françaises, Sur*, 1942.

Pleine Marge. — *Éditions Karl Nierendorf*, 1943.

Arcane 17. — New-York, *Éditions Brentano's*, 1945.

Situation du surréalisme entre les deux guerres. — *Fontaine*, 1945.

Young cherry trees secured against hares. — *Éditions View*, 1946.

Le Surréalisme et la peinture, nouvelle édition augmentée. — *Brentano's*, 1946.

Yves Tanguy. — New-York, *Éditions Pierre Matisse*, 1947.

Les Manifestes du surréalisme, suivis de Prolégomènes a un troisième manifeste du surréalisme ou non. — *Sagittaire*, 1946.

Arcane 17, enté d'Ajours. — *Sagittaire*, 1947.

Ode a Charles Fourier. — *Fontaine*, 1947.

Martinique charmeuse de serpents. — *Sagittaire*, 1948.

La Lampe dans l'horloge. — *Éditions Marin*, 1948.

Au regard des divinités. — *Éditions Messages*, 1949.

Flagrant délit. — *Éditions Thésée*, 1949.

Anthologie de l'Humour noir, nouvelle édition augmentée. — *Sagittaire*, 1950.

La Clé des champs. — *Sagittaire*, 1953.

A Dieu ne plaise. — *Éditions P. A. B.*, 1954.

Les Manifestes du surréalisme. — *Sagittaire* et *Club français du livre*, 1955.

L'Art magique (avec le concours de Gérard Legrand). — *Club français du livre*, 1957.

Constellations (sur 22 gouaches de Joan Miró). — *Éditions Pierre Matisse*, 1959.

Poésie et autre. — *Club du meilleur livre*, 1960.

Le la. — *Éditions P. A. B.*, 1961.

Ode a Charles Fourier, commentée par Jean Gaulmier. — *Librairie Klincksieck*, 1961.

Manifestes du surréalisme, édition définitive. — J.-J. Pauvert, 1962.

Cet ouvrage
a été achevé d'imprimer
sur les presses de l'Imprimerie Floch
à Mayenne le 6 septembre 1967.
Dépôt légal : 3e trimestre 1967.
N° d'édition : 12803.
(7741)